今日から
モノ知り
シリーズ

トコトンやさしい

ロボットの本

自動車や電子製品をつくる産業用ロボットから掃除や会話もこなす身近なサービスロボットまで、ロボットが活躍する領域は広がるばかりです。この一冊で、ロボットについて知っておきたい基礎知識が手に入ります。

第2版

日本ロボット工業会　監修
日刊工業新聞社　編

B&Tブックス
日刊工業新聞社

はじめに

マンガやテレビ、映画などで誰もが子供のころから親しんでいながら、案外、実態を知らないのがロボットです。

現在、もっともたくさん活躍しているのは産業用ロボットと呼ばれるタイプで、自動車や電気・電子機器、生活製品、食品などの生産に欠かせない存在になっています。ところが、その姿は多くの人がイメージするヒーローのようなロボットとはまったく異なるせいか、マスメディアで大々的に採り上げられることはあまりありません。このため、圧倒的な多数派であるにもかかわらず、先進的なロボットとして認識されないのです。

本当のロボットに興味があるなら、自動車会社の工場に見学に行くことをお勧めします。溶接工程では壮大に火花を上げながら次々と車体を完成させていく勇姿に目を見張りますし、塗装工程ではあっという間にさまざまな色に仕上げていく匠の技に圧倒されるでしょう。ほかにも、組立やハンドリングなどロボットたちが奮闘する姿は感動ものです。

ロボットとは、「知能・制御系（頭脳と神経）」「センサ系（感覚器）」「駆動・構造系（筋肉と骨格）」という3つの要素技術の組み合わせにより、複雑で精密な作業を、正確かつ高速に行うマシンのことをいいます。産業用として実用化されて以来、半世紀以上の間に著しい進歩を遂げてきました。そして、それぞれの目的や用途に合わせて最適化された結果、今ではヒューマノイド（人型）であることにはこだわらなくなっています。

それにもかかわらず、産業用ロボットとそれ以外のロボットを同じ視点で解説してくれる本はありませんでした。しかし、ロボットの研究や開発をしたり、新たなロボットの利用方法を考えたりするような仕事に就きたい人にとって、ロボットの全体像を知ることは大切です。そんな理由から、「トコトンやさしい」シリーズの一冊として、ロボットの総合ガイドブックをつくることになったのです。

２０１５年の初版発売から6年以上経ち、ロボットはさらに進化しています。もちろん産業用ロボットが主流であることに変わりはありませんが、それらの開発で培った技術やノウハウを活かし、私たちの暮らしに近いサービス分野なども含め、新しい領域で活躍する次世代ロボットにも注目が集まるようになってきたのです。そこで、新しい情報も含めた改訂版として制作されたのが本書になります。

読み進めていただければわかるように、ロボットの基礎から必要な技術、産業用ロボットの役割、公共分野や生活分野で新たな活躍が期待されるロボット、そしてロボットと社会の未来について端的にまとめました。したがって、これさえ読めば「ロボットとは何か?」という疑問に、正しく答えられるようになるはずです。内容的には、高校生以上であれば理解できるように努めましたので、安心してページをめくってください。

これからの時代、ロボットはますます重要になっていくでしょう。新しい産業がロボットから生まれますし、家庭で働くロボットも増えていくはずです。そのとき、もっと上手にロボットたちと付き合うためにも、彼らの姿をきちんと見てあげてください。

それでは、ロボットの世界に向けて、扉を開けましょう!

トコトンやさしい

ロボットの本 第2版

目次

目次 CONTENTS

第1章 ロボットの基礎知識

1 そもそもロボットとは?「ロボットの定義」……10
2 ロボットの種類は大きく2つに分けられる「ロボットの分類」……12
3 産業用ロボットの基礎知識「ものづくりのキープレイヤー」……14
4 アメリカで生まれ日本で発展した産業用ロボット「産業用ロボットの歴史」……16
5 生産拠点の再配分でロボットの活躍が広がる「産業用ロボットの市場」……18
6 日本は世界最大の生産国「産業用ロボットメーカーの世界地図」……20
7 「ロボット」メーカーの裾野は広い「部品からシステムまで」……22
8 ロボットによる生産革命がGDPの成長につながる「ロボット産業の経済波及効果を考える」……24
9 国家戦略「ロボット革命」が日本経済成長の切り札になる「ロボット産業の将来を描く」……26

第2章 ロボットを構成する要素技術

10 ロボットを構成する要素技術は大きく分けて3種類「ロボットの3要素技術」……30
11 ロボットの感覚は自由に設計できる「外界センサ1」……32
12 ロボットだけがもてる特殊感覚「外界センサ2」……34
13 エンコーダがなければロボットはきちんと動けない「内界センサ1」……36
14 力を加減するには「力覚」が必要だ「内界センサ2」……38
15 加速度が測れればまっすぐ立て、移動距離や場所もわかる「内界センサ3」……40

第3章 ものづくりを支える産業用ロボット

16 ロボットの頭脳は反応がよくないといけない「知能・制御技術1」……42

17 ロボット専用のソフトウェアが続々登場「知能・制御技術2」……44

18 ロボットの頭脳は体内になくてもいい？「ネットワーク技術」……46

19 ロボットを動かすアクチュエータとは？「駆動技術1」……48

20 サーボモータとステッピングモータ「駆動技術2」……50

21 油圧と空圧の課題は正確な制御「駆動技術3」……52

22 開発が期待される次世代のアクチュエータ「駆動技術4」……54

23 モータの回転数を落としトルクを高める減速機「動力伝達機構」……56

24 車輪、クローラ、二足歩行、四足歩行、昆虫、蛇……「移動機構」……58

25 強くて軽く、人にやさしいロボット材料とは？「材料技術」……60

26 ロボットの意外なアキレスの腱、電源「パワープラント」……62

27 ロボットにおける技術のトレードオフとは？「全体最適化」……64

28 「ロボット大国」日本の強みと弱み「ロボット技術の国際比較」……66

29 自動車から電機、化学、食品まで広い業種で活躍「産業用ロボットの利用分野」……70

30 溶接、塗装、加工、組付、組立、ハンドリング……「産業用ロボットの用途」……72

31 薄板のスポット溶接から厚板のアーク溶接まで「溶接ロボット」……74

32 作業箇所を面で捉え、むらのない均質な仕上げが条件「塗装ロボット」……76

33 バリ取り・研磨作業に求められるきめ細かい動作を実現「仕上げロボット」……78
34 人と協働する組立工程にロボットを導入するための課題「組立ロボット」……80
35 マテハンの要となるパレタイジングロボット「搬送・移送用ロボット」……82
36 プラスチック製品の陰にはロボットあり「成形品取出ロボット」……84
37 微細化する回路と大型化する基板の両方向に対応「クリーンルーム用ロボット」……86
38 食肉の加工から炊飯、弁当の盛りつけまでロボットで「食品産業用ロボット」……88

第4章 身近なインフラから過酷な環境まで、広がるロボットの応用範囲

39 ロボットの活動領域の広がり「ロボットの拡散」……92
40 人工衛星との連携で精密に畑を耕すロボット農機「農業ロボット」……94
41 遠隔操作から自動化へ、ますますロボット化する建設機械「建設ロボット」……96
42 家庭用だけでなく高機能の業務用ロボットクリーナーへの期待「清掃ロボット」……98
43 ロボットだから巨大なインフラを隅々まで調査できる「点検・保守ロボット」……100
44 技術競技会まで開かれる注目分野「災害対応ロボット1」……102
45 事故後の原発所内で調査や除染作業に活躍「災害対応ロボット2」……104
46 警備員と連携しながら犯罪防止に努めるパトロールロボット「警備ロボット」……106
47 宇宙ステーションのロボットアームから月面探査車まで「宇宙ロボット」……108
48 電波の届かない海の中を自走するにはロボット技術が欠かせない「海洋ロボット」……110

第5章 医療・福祉分野で活躍するロボット

49 ロボットアームの操作で治療する手術支援ロボット「医療用ロボット1」……114

50 病院の中を自動的に歩き回って薬品や検体を運ぶ搬送ロボット「医療用ロボット2」……116

51 車いすやパーソナルモビリティが移動支援ロボットに進化する「介護・生活支援ロボット1」……118

52 介護作業を大幅に軽減するさまざまな支援ロボット「介護・生活支援ロボット2」……120

53 日常生活を支援する装着型ロボット「介護・生活支援ロボット3」……122

54 人と共存するロボットに問われる安全と安心「介護・生活支援ロボット4」……124

第6章 日々の生活をよりよくしてくれるサービスロボット

55 もっとも身近な家庭用ロボット？「ロボット掃除機」……128

56 人と一緒に行動し、会話や感情の交流を図るロボット「コミュニケーションロボット1」……130

57 表情やしぐさを加えるとロボットの表現力が高まる「コミュニケーションロボット2」……132

58 個人が気軽にロボットをもてる時代になってきた「パーソナルロボット」……134

59 人造人間への道の長さがロボットの可能性を示している「ヒューマノイドロボット」……136

60 無人航空機「ドローン」に集まる期待と不安「ロボット航空機」……138

第7章 ロボットと社会の未来

61 ロボット化の波は、すでに家の中まで来ている「ロボットと私たちの関わり1」……142

62 ロボットは人から仕事を奪わずに増やしてくれる「ロボットと私たちの関わり2」……144

63 ロボットが活躍舞台を広げていくための技術課題「ロボット技術（RT）の未来1」……146

64 超高速、超小型、脳波操作など新たな価値を創造するRT「ロボット技術（RT）の未来2」……148

65 「ロボット」の世界は拡張しながら進歩する「ロボットの進化」……150

【コラム】

●ロボット工学三原則はロボット開発の基本か？……28

●コンピュータからIT、ロボットからRT……68

●ロボットの経営効果はお金だけで判断できない……90

●ロボット開発者になるには要素技術をしっかり学ぼう……112

●生物から学ぶロボット開発―バイオミメティクス……126

●ロボットに関連した新しい職業が生まれる？……140

●社会に貢献できる技術に贈られる「ロボット大賞」……152

参考文献……155

索引……157

第1章

ロボットの基礎知識

1 そもそもロボットとは？

ロボットの定義

ロボット（robot）という言葉は1920年にチェコスロバキアの作家カレル・チャペックが発表した戯曲『RUR（ロッサム万能ロボット会社）』の中で初めて使われた造語です。ただし作品に登場するのは化学合成された人造人間、いわゆるバイオノイドであり、現代の機械式ロボットとは異なります。

それでは、今、私たちが考えるロボットとはどういうものなのでしょうか？　実はこの問いに答えるのは簡単ではありません。なぜならロボットの定義はいろいろあり、一義的には決められないからです。

たとえば『機動戦士ガンダム』や『新世紀エヴァンゲリオン』は有名なロボットアニメですが、活躍するマシンは人間が操縦していますので仕組みとしては自動車と変わりません。それでも私たちがこれらをロボットだと思うのは、「人のような形をした機械＝ロボット」と考えているからでしょう。

ところがこの定義だと、現在、もっとも普及している産業用ロボットは人間らしからぬ形状をしているので外れてしまいますし、ペットロボットとして一世を風《ふう》靡《び》したソニーのAIBOもあてはまりません。これでは話が進まないので、本書ではロボットの範囲を、かなり広く捉えることにしました（左ページ参照）。また参考のため、もっとも限定的な日本産業規格（JIS）による産業用ロボットの定義と、逆にロボットを広く捉える場合の考え方として引用されることの多い経済産業省ロボット政策研究会による定義を付け加えておきます。

次章以降で解説するようにロボットの本質とは形状や機能にあるのではなく「どんな作業をさせるために開発されたのか？」という目的や用途のほうにあるのです。そして自動化の実現に向けて多様な要素技術を組み合わせ、最適化したシステムであることが重要なのであって、それに該当する知的マシンであればすべてロボットと呼んでいいのかもしれません。

要点BOX

- ●ロボットの定義は1つではない
- ●狭義には産業用ロボット、広義には知的機械
- ●ロボットの本質は用途実現のための最適化

ロボットの定義

【本書におけるロボットの定義】

1、ある程度の自律性をもち、高度で多様な作業ができる動的機械
2、人や動物に近い形や機能をもつ動的機械
3、これらのうち、多くの人が見てロボットだと感じられるもの

【日本産業規格(JIS)における定義】

ロボット:2つ以上の軸についてプログラムによって動作し、ある程度の自律性をもち、環境内で動作して所期の作業を実行する運動機構
(JIS B 0134:2015)
産業用ロボット:自動制御され、再プログラム可能で、多目的なマニピュレータであり、3軸以上でプログラム可能で、1カ所に固定して、または移動機能をもって産業自動化の用途に用いられるロボット
サービスロボット:人または設備にとって有益な作業を実行するロボット。産業自動化の用途に用いるものを除く

【ロボット政策研究会(経済産業省)における定義】

ロボットとは……
「センサ」「知能・制御」「駆動系」の3つの要素技術(ロボットの3条件)により知能化された機械システム

2 ロボットの種類は大きく2つに分けられる

ロボットの分類

定義そのものが難しいロボットだけに、カテゴリーごとに整理するのは一筋縄ではいきません。しかし、用語や概念の統一を図っておかないと以後の説明を進めにくいので、本書では経済産業省の分類方法をベースにしながら、適宜、他の分類例を加えていくことにします。

もっとも上位の区分となるのが産業用ロボットと非産業用ロボットです。この分け方は他の多くの資料でも共通していますが、名称は若干異なり、経済産業省の資料では非産業用ロボットを「次世代ロボット」と呼ぶことがあります。これは、すでに実績のある産業用ロボットに続く新たなビジネスの創生を期待してのことでしょうが、今のところ、あまり一般的な呼称ではないようです。このため、本書では多くのロボットメーカーなどの例に倣《なら》い、非産業用ロボットを「サービスロボット」と呼ぶことにします。

産業用ロボットとサービスロボットの違いは用途や形状だけではなく設計思想にも及びます。主に工場で働く産業用ロボットの場合、機能の多様化よりも定型作業における効率性や高速性、正確性などが強く求められるのに対し、家庭や職場で人と交流することの多いサービスロボットでは状況の変化に柔軟に対応する能力が重要です。つまり「与えられた課題を確実にこなしていく産業用ロボット」と「人とコミュニケーションをとりながら次の動作を考えるサービスロボット」とでは、求められる条件がまったく異なるため、大きく二分されるのです。

下位の区分である、「生活」「医療／福祉」「公共」の分解については便宜的なもので、これから新たなロボットが開発されていくにつれて大きく変わってくると思います。なかにはアタッチメントやソフトウェアを変えるだけで生活分野から公共分野まで幅広く活躍できる多目的ロボットもあるので、明確に境界を引けるものではありません。

要点BOX

- ●ロボットは産業用と非産業用に分けられる
- ●非産業用ロボットをサービスロボットと呼ぶことも
- ●目的が違えば設計思想そのものが変わる

ロボットの分類

ロボットの区分	分野	例
産業用ロボット	製造業分野	溶接システム
		塗装システム
		研磨／バリ取りシステム
		入出荷システム
		作業支援
		組立システム
	非製造業分野	農林業用ロボット
		建設ロボット
		畜産ロボット
非産業用ロボット（次世代ロボット）	生活分野	警備ロボット
		掃除ロボット
		コミュニケーションロボット
		エンターテイメントロボット
		多目的ロボット
	医療／福祉分野	医療ロボット
		福祉ロボット
	極限／公共分野	災害対応ロボット
		探査ロボット
		海洋ロボット
		原子力ロボット
		宇宙ロボット

出典：「次世代ロボットビジョン懇談会（第1回）配付資料」（経済産業省）をもとに作成

産業用ロボットとサービスロボット

産業用ロボット 主に工場で働き、 人間と隔離された環境で動作	サービスロボット 主に公共空間や家庭で働き、 人間と動作空間を共有
・操作には熟練が必要	・自然なコミュニケーションが必要
・生産に関する知識が必要	・状況の変化に柔軟に対応
・定型作業を効率よくこなす	・安全に配慮した丁寧な動作
・定型作業を効率よく、確実にこなす	・モノや人をセンサで認識
・7つ以下の関節でほとんどの作業に対応	・作業に応じて必要な関節の数が増減

出典：「YASKAWA NEWS No.289」（安川電機）と日本ロボット工業会の資料などから編集部作成

3 産業用ロボットの基礎知識

ものづくりのキープレイヤー

現在、ロボットの中で大きな市場を確立しているのが産業用ロボットです。代表的なのはアーム型ロボットと呼ばれるもので、人間の腕や手に類似した機構をもつだけのシンプルなマシン（マニピュレータ）ですが、プログラミング機能により多彩な働き方ができるだけでなく、センサ技術の発達により、状況に応じて動作を調整することも可能になり、今では溶接や塗装、加工・組立、搬送といった生産工程の幅広い分野で活躍しています（第3章参照）。

ちなみに工場には他にもさまざまな「自動的に動く機械」が導入されていますが、特定の作業しかできない専用機と違い、産業用ロボットの場合はプログラミングによって作業内容を変えられる多様性のある機械であることが最大の特色です。また、ある程度の自律性をもたせることで「状況に合わせて力加減を調整する」といった自動制御ができるようになり、このことも活用領域の拡大につながりました。

産業用ロボットは機構の仕組みによって、主に次のように分類できます（分類の仕方はメーカーなどによって異なり、これはあくまで一例です）。

●垂直多関節ロボット
●水平多関節ロボット（スカラロボット）
●直角座標ロボット
●パラレルリンクロボット

多関節ロボットは人間の関節にあたる「軸」の数によって3軸、4軸、5軸、6軸……と分けられます。軸数が多いほど自由度が増し、より複雑な動きができますが、その分、制御が難しくなるのは言うまでもありません。また、垂直と水平は軸の向きを表します。直角座標ロボットはガントリーロボットとも呼び、3本の直交スライド軸により3次元の動きをします。パラレルリンクロボットは複数の軸を組み合わせたパラレルメカニズムによって多関節型ロボットより高速動作を可能にしたものです。

要点BOX

●大きな市場を確立している産業用ロボット
●さまざまな動きを教えられる汎用性が魅力
●軸などの構造によりタイプが分けられる

産業用ロボットの種類

種類	特徴	
垂直多関節ロボット	もっとも一般的な産業用ロボットで、リンク（土台の旋回軸）と垂直方向にアームが動く	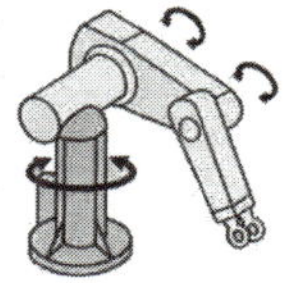
水平多関節ロボット（スカラロボット）	関節とリンクが水平で直列につながっている	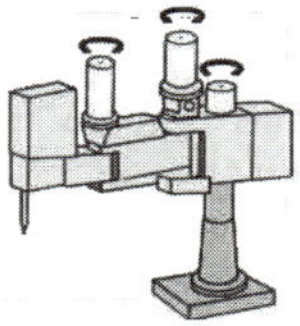
直角座標ロボット	3軸の直交するスライド軸によって構成され、3次元の動きをする 座標型による分類では、他にリンクで旋回しながら上下移動する円筒座標型、旋回軸を中心にアームの上下回転と伸縮を組み合わせた極座標型などがある	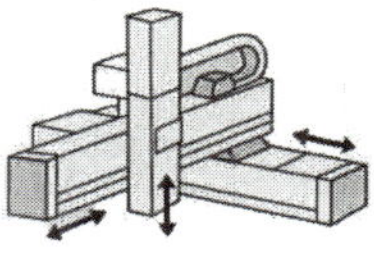
パラレルリンクロボット	先端を複数の軸によって並列（パラレル）に動作させる	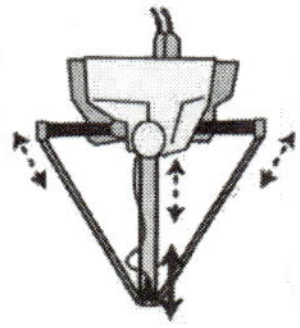

出典：「YASKAWA NEWS No.296」（安川電機）をもとに作成

水平多関節ロボット（スカラロボット）と垂直多関節ロボット

水平多関節ロボット（スカラロボット）

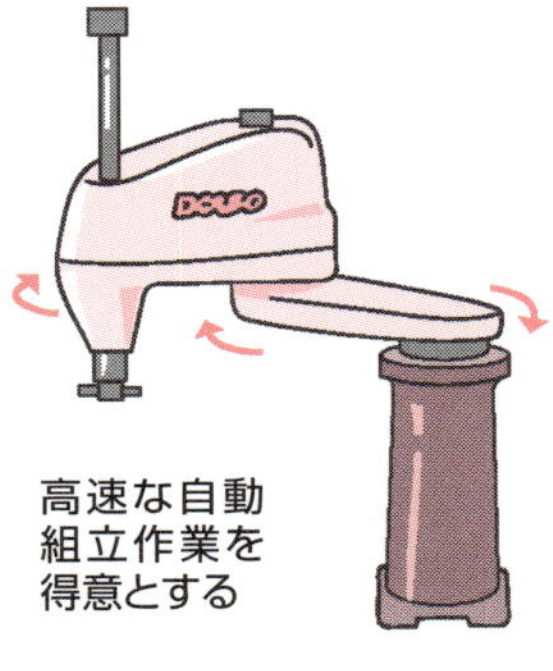

高速な自動組立作業を得意とする

垂直多関節ロボット

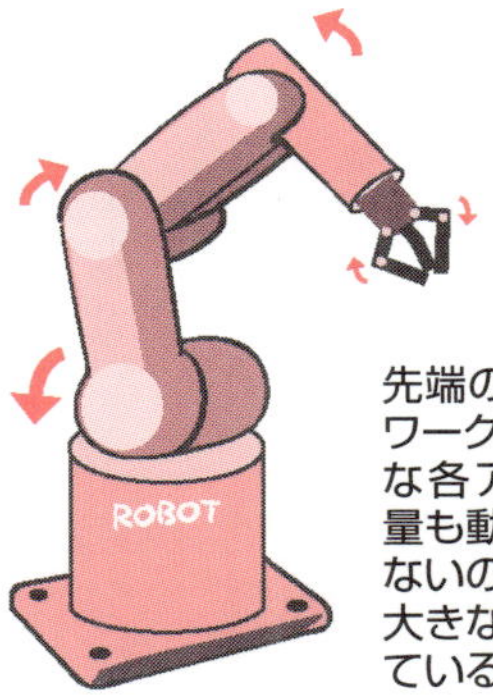

先端のハンドがつかむワーク質量以外に丈夫な各アーム自体の質量も動かさないといけないので、根元軸ほど大きなモータが備わっている

4 アメリカで生まれ日本で発展した産業用ロボット

産業用ロボットのコンセプトはアメリカのジョージ・デヴォル（George C. Devol）が1954年に出願した特許「Programmed Article Transfer」の中で初めて示されました。そのころの米国ではさまざまな産業への機械導入が進んでおり、たとえば農業分野では農機による作業の効率化によって1940年からの20年間で従事者数が3分の1に減少したといわれています。同じように工業分野でも自動化のニーズはあったものの、工場で必要とされる作業は農業より緻密なものが多かったため、それをすべて機械化するのは難しいと思われていました。

しかし、1950年代に入るとプログラム内蔵式のコンピュータが実用化され、この機能を使えば人の動きを真似させるティーチングプレイバックが可能になります。つまり、デヴォルの発想にはそんな時代の社会的背景と技術的背景があったのです。そして1958年に米国のコンソリデイテッド・コントロール社（C C）がプロトタイプの産業用ロボットを発表したのに続き、1962年にはユニメーション社とAMF社が実用第1号機を製作します。

ちなみに、手塚治虫が初めてアトムを主人公にしたマンガを描いたのは1951年のことですが、そのころの日本では米国ほど機械化の要望が高くなかったのか、産業用ロボットという発想はあまり生まれませんでした。それでも1960年代の高度成長期に入ると労働力不足が深刻になってきたことからロボットの輸入が始まり、やがて国内メーカーも積極的に開発を進めていくようになるのです。

もともと電気機器や精密機械の分野で高い技術をもっていた日本のメーカーはすぐに実力を発揮し、特に1980年代に入ると現在の産業用ロボットに近い電動式の多関節型や座標型ロボットを次々と製品化していきます。やがて「世界中で活躍する産業用ロボットの多くが日本製」といわれるほどになるのです。

要点BOX

- ●1950年代の米国は機械化・自動化のブーム
- ●プログラム式コンピュータが技術の後押し
- ●やがて日本のメーカーが世界をリード

産業用ロボットの歴史

年	出来事
1954	米国の Geog C. Devol 氏、プレイバック方式の「Programmed Article Transfer」の特許取得
1958	米国・CC 社、デジタル制御による Automatic Programmed Apparatus のプロトタイプ発表
1960	米国・ユニメーション社、「プレイバックロボット」を実用化
1962	米国・ユニメーション社、AMF 社、プレイバックロボット販売開始
1970	米国で産業用ロボットシンポジウム（後の ISR）を開催
1972	日本産業用ロボット工業会設立
1973	早稲田大学にてヒューマノイド型ロボット「WABOT- 1」を開発
1973	スウェーデン・アセア社、電動多関節ロボットを開発
1974	第 4 回国際産業用ロボットシンポジウム（ISR）、日本で初めて開催
1974	第 1 回国際ロボット展が晴海で開催
1978	山梨大学・牧野グループ、スカラ型組立ロボットの開発
1980	日本、本格的な産業用ロボット普及が始まる
1983	日本ロボット学会設立
1983	通産省の国家プロジェクト「極限作業ロボットの研究開発」開始
1983	国際先端ロボット技術会議（ICAR）の第 1 回を日本で開催
1984	極限作業ロボット技術研究組合設立
1984	第 1 回国際建設極限作業ロボットシンポジウムが米国で開催
1985	国際ロボット・FA 技術センター（現製造科学技術センター）設立
1987	国際ロボット連盟（IFR）設立
1992	マイクロマシンセンター設立
1998	通産省「人間協調・共存型ロボットシステム」研究開発開始
2006	ロボットビジネス推進協議会設立
2007	経産省「次世代ロボット知能化技術開発プロジェクト」開始 (5 年間)
2009	経産省「生活支援ロボット実用化プロジェクト」開始（5 年間）
2013	経産省「ロボット介護機器開発・導入促進事業」開始（5 年間）
2015	ロボット革命イニシアティブ協議会（現・ロボット革命・産業 IoT イニシアティブ協議会）設立
2018	（一社）日本ロボット工業会の準会員組織として、FA・ロボットシステムインテグレータ協会（SIer 協会）設立
2020	技術研究組合、産業用ロボット次世代基礎技術研究機構（ROBOCIP）設立
2023	SIer 協会が（一社）日本ロボットシステムインテグレータ協会として独立

5 生産拠点の再配分でロボットの活躍が広がる

現在、世界中で稼働している産業用ロボット（マニュピュレーティングロボット）は約428万台に上ります（2023年）。新規設置台数は過去最高の55万台（2022年）に達するなど、市場の成長性は依然として高いといえるでしょう。

地域別に見た場合、やはり、特筆すべきはアジアで、20年ほど前から急激な伸びを示しました。今では産業用ロボットの半数は、日本を除くアジア諸国で稼働しているのです。

アジアでは、これまで中国と韓国が積極的にロボットの導入を進め、需要の拡大を牽引してきました。最近では一時期ほどの勢いは感じられなくなっているものの、それでも世界有数の稼働台数を誇っており、大きな市場であることには変わりがありません。加えて、台湾やインド、ASEAN諸国でも需要は着実に増えてきており、今後もアジア市場の動向が注目されていくはずです。

一方、欧州では、先行するドイツやイタリア、フランス、スペイン、イギリスなどの先進工業国に続き、ポーランドやチェコ、ロシアといった新たに工業化が進む国でも成長が続き、市場の拡大が進んでいます。同じ傾向は北米や中米にも見られ、カナダやメキシコの稼働台数が増えることで市場全体を活気づけているのです。

製造業では長い間、人件費の低い国に工場を移転させるコストダウン戦略が経済の基本でした。しかし、新興国における賃金の上昇や、さまざまな経営リスクに備えるサプライチェーンの見直しなどにより、工場の立地は大きく変わろうとしています。具体的にいえば、特定の国に労働資本を集中させるのではなく、多様な生産拠点を活用することで経営体質を強化していこうとしているのです。そのような戦略によって、ロボットの市場は、より多くの国々に広がっていくのではないでしょうか。

要点BOX

- 世界中で約428万台の産業用ロボットが稼働
- 中韓だけでなくアジア全体に市場が拡大
- 工場の分散でロボットの活躍場所も広がる

主要国・地域の産業用ロボット稼働台数
（日・中・韓・台・米・欧）

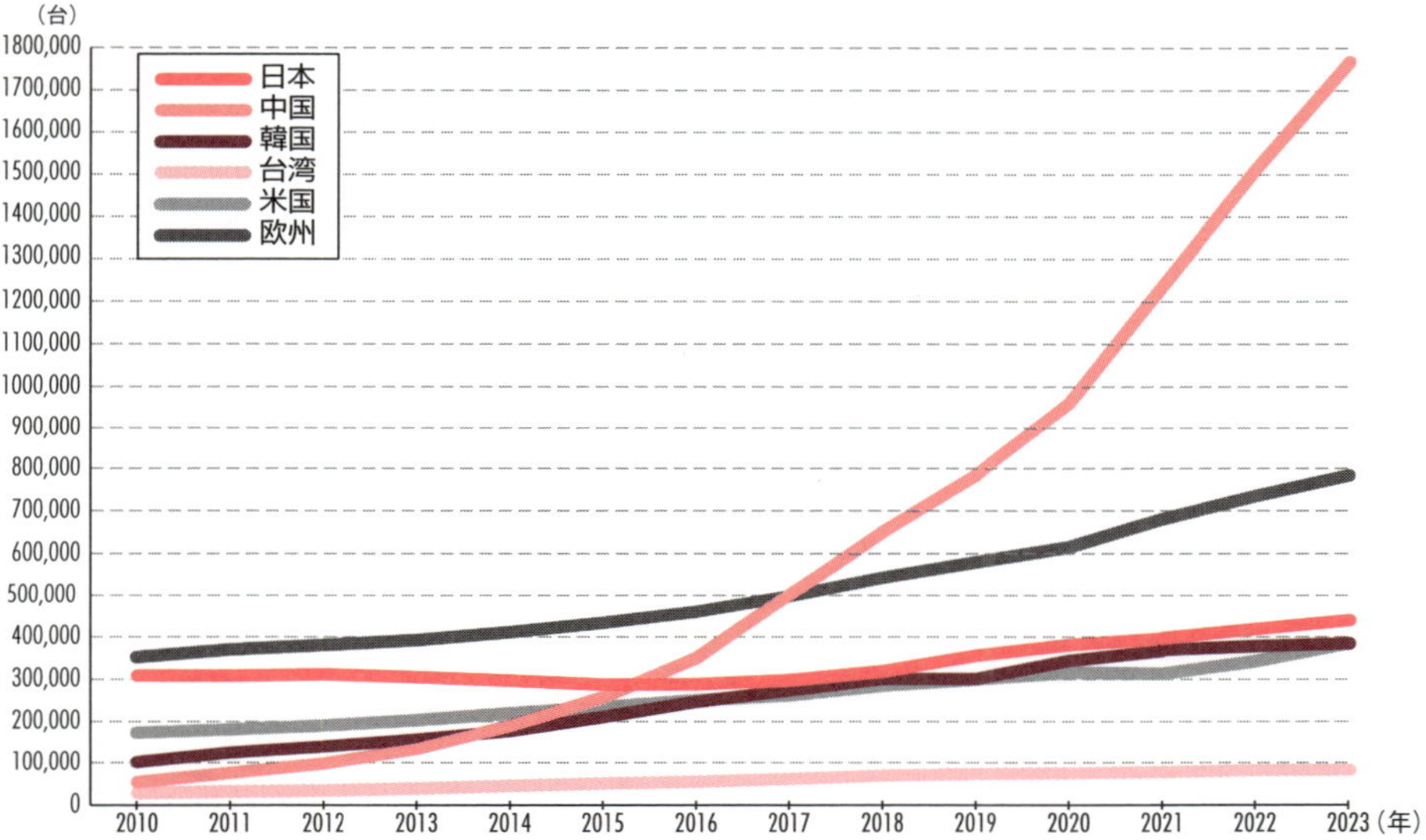

新興国での産業用ロボット稼働台数
（タイ・インド・ポーランド・チェコ・ロシア・カナダ・メキシコ）

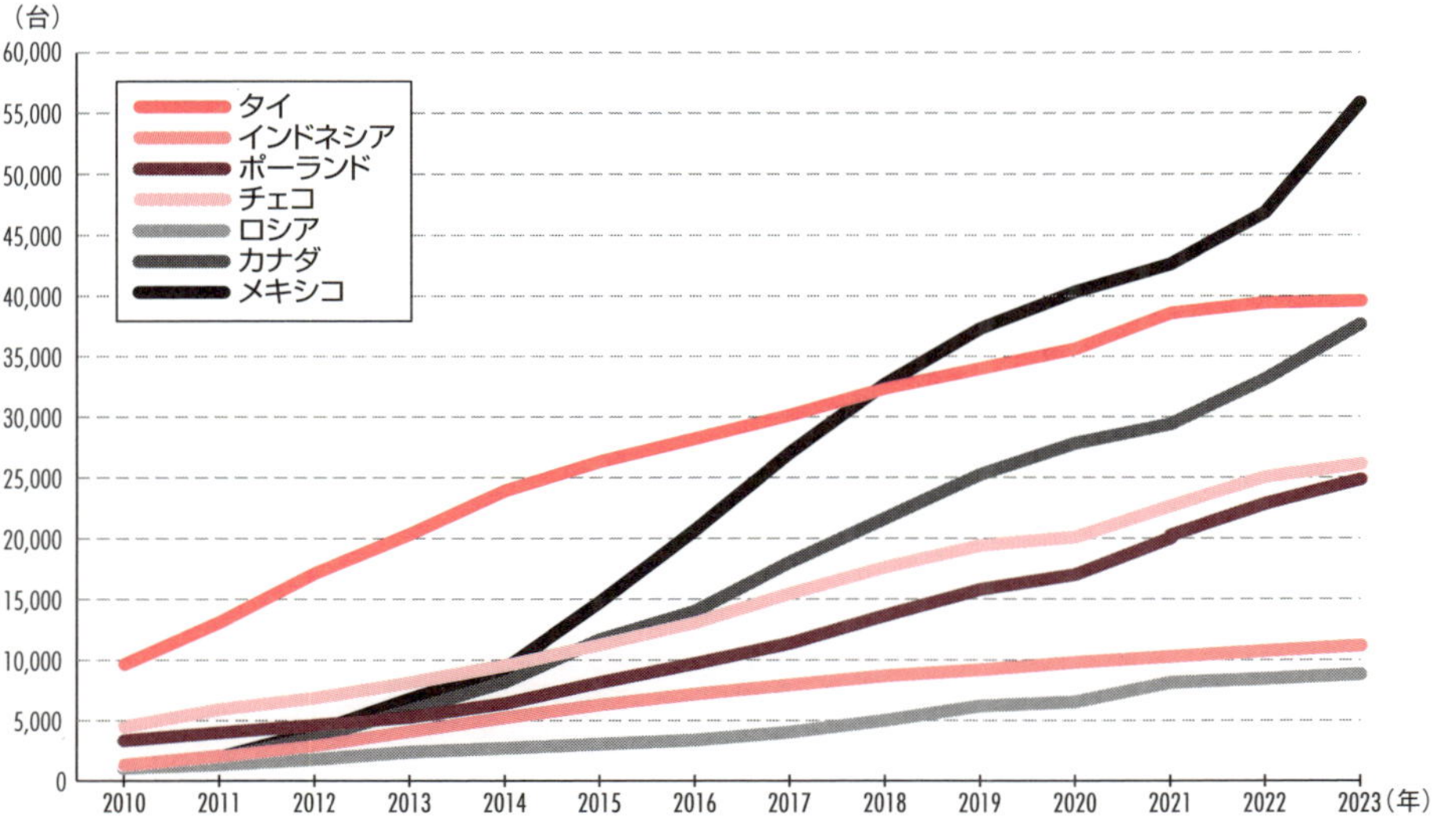

6 日本は世界最大の生産国

産業用ロボットメーカーの世界地図

産業用ロボットにおける世界の四大メーカーと呼ばれるのは、日本の安川電機とファナック、スイスのABB、ドイツのKUKA（クーカ）です。

安川電機は1915年に設立された歴史ある企業で主に電動機（モータ）を生産していました。1960年代以降から積極的に産業用エレクトロニクスやオートメーション分野への進出を始め、1977年には国内初全電気式産業用ロボット「MOTOMAN-L10」を発表しています。現在、産業用ロボットの生産台数では世界トップクラスです。

ファナックは1972年に富士通の計算制御部から独立した企業で、工作機械用のNC（数値制御装置）では約50パーセントと世界一のシェアを誇ります。産業用ロボットの開発は1974年から始め、世界シェアはトップクラスです。多関節ロボットでは国内シェアトップなので、多くの工場で製品を見ることができます。

ABBは世界約100カ国に約14万人の従業員がいる多国籍企業で、事業分野は重電・重工業など広い範囲に及びます。産業用ロボットはその一部に過ぎませんが、それでも世界シェアは第2位です。

KUKAは産業用ロボットのファクトリーオートメーション（FA）の専業メーカーですが、世界中に拠点をもち、シェアは第4位です。

欧州発祥の2社が自動車向けの溶接や塗装ロボットで強みを発揮しているのに対し（欧州では産業用ロボットの半数が自動車製造用）、日本の2社は産業用ロボットに関して幅広いメニューをもつオールラウンダーです。また日本にはこれら4社に続く有力なロボットメーカーがいくつもあり、国別の生産台数のシェアでは約5割をキープしており、その地位は揺るぎません。最近では韓国、中国、台湾にもロボットメーカーが誕生してきましたが、まだ技術的には日欧の後塵《こうじん》を拝している状況です。

要点BOX

- ●世界の産業用ロボット4大メーカーの2社は日本
- ●自動車に強い欧州勢、総合力の日本勢
- ●アジアも生産を始めるが日欧とは技術の差が大きい

世界の主な産業用ロボットメーカー

4大メーカー

安川電機（日本） アーク溶接、スポット溶接、塗装、パレタイジング、クリーンルーム用など産業用ロボットの総合メーカー	**ABB（スイス）** 電機から重工業までの総合メーカー。ロボットでは溶接、塗装など自動車用に強い
ファナック（日本） 多関節型では国内トップ。アーク溶接、スポット溶接、塗装、パレタイジングなど商品構成は多様	**KUKA（ドイツ）** FA 機器とシステムのメーカー。ロボットの商品構成は ABB に近く自動車用に強い

その他の主な日本メーカー

アイエイアイ
単軸･直交ロボットの国内シェア約 50%の電動アクチュエータのトップメーカー。ガイド／制御双方を開発･設計･製造する総合力をもつ

オークラ輸送機
マテハン機器の開発に実績があり、ロボットによる混載パレタイズシステムを提案する

オムロン
制御機器とロボットのすり合わせを得意とし、高度な人の作業をロボットで実現する

川崎重工業
産業用ロボットでは 50 年以上の歴史をもち、さまざまな製品を生産している。クリーンルーム用に強い

カワダロボティクス
メカトロ技術の蓄積を通じ、人と一緒に働くヒト型ロボットの製品化に先鞭をつけた

芝浦機械
垂直および水平多関節ロボット、直交ロボットなど多様なラインアップを誇る

スター精機
樹脂成形用取出ロボットなど

ダイヘン
大阪の重電メーカーでアーク溶接、クリーンルーム用搬送ロボットなどを生産している

デンソーウェーブ
トヨタグループの生産技術を支える会社のひとつでロボット事業も30年以上の歴史をもつ

日本電産サンキョー
クリーンルーム用搬送ロボットなどを生産している

その他の主な日本メーカー

パナソニック溶接システム
アーク溶接用ロボットを生産している

不二越
スポット溶接、塗装など自動車分野に強い。中国市場に積極的に進出している

三菱電機
FA では世界トップクラスのメーカーであり、産業用多関節ロボットでも多くの実績をもつ

ヤマハ発動機
アクチュエータに関する技術力が高く、それを活かした組立ロボットなどを生産

ユーシン精機
樹脂成形用取出ロボットなど

その他の主な欧州メーカー

Comau（イタリア）
主にスポット溶接ロボットを生産

Stäubli（スイス）
主に組立とハンドリングロボットを生産

Universal Robots（デンマーク）
プログラミングが簡単で、手軽に導入できる協働ロボットを展開

米国の主なメーカー

Brooks Automation
Omron Adept Technology
産業用ロボットの発祥国だが日欧のメーカーに負け、今は専門的なメーカーがいくつか残るのみ

7 「ロボット」メーカーの裾野は広い

部品からシステムまで

アーム型ロボットは関節をゆっくり動かす必要がありますが、動力源であるモータは、ある程度、速く回転させないと十分な力（トルク）が得られません。このため、歯車などを組み合わせた精密減速機という装置を用いて、アームの動きに合わせる必要があります。そして現在、世界中の産業用ロボットに搭載されている精密減速機のほとんどは、日本のナブテスコとハーモニック・ドライブ・システムズという機械メーカーが製造しており、日本の技術がロボットの大切な部分を支えているのです。

細かい作業をする産業用ロボットでは、たとえば「3メートル以上ある大型アームの先端を0・1ミリメートル以下の誤差でコントロールしなければならない」といった厳しい条件が要求されます。このため、パーツ1つをとっても供給できるメーカーは限られてきます。つまり、技術力のある会社にとっては大きなビジネスが期待できるのです。

ロボットは機械、電子・電気、材料、情報通信など幅広い技術を組み合わせた統合システムです。したがって、それぞれの分野ごとにロボット産業を支える有力な企業が存在しています。

日本はもともと多様な技術を有する国であるだけでなく、ロボット産業が早くから育ったことにより、有力な「パーツ」メーカーが多数存在します。したがって、その強みを活かし、これからもロボット開発では世界の先頭を走っていくべきでしょう。

世界でも最大規模のロボット関連の展示会である「国際ロボット展」における出展製品は、下の図にあるように、非常に幅広い分野におよんでいることがわかります。歯車／ねじ、ジョイント（継ぎ手）、ケーブル（電線）といった一般的な機械部品のメーカーまでが出展するのは、ロボットには従来とは異なる特別な性能が求められることが理由であり、また今後のロボット市場の拡大に期待しているからでもあるのです。

要点BOX

- ●高精度のロボットには高性能のパーツが必要
- ●供給できる企業にとっては大きなビジネス
- ●日本は関連分野の多くで高い技術力を有している

ロボットの減速機

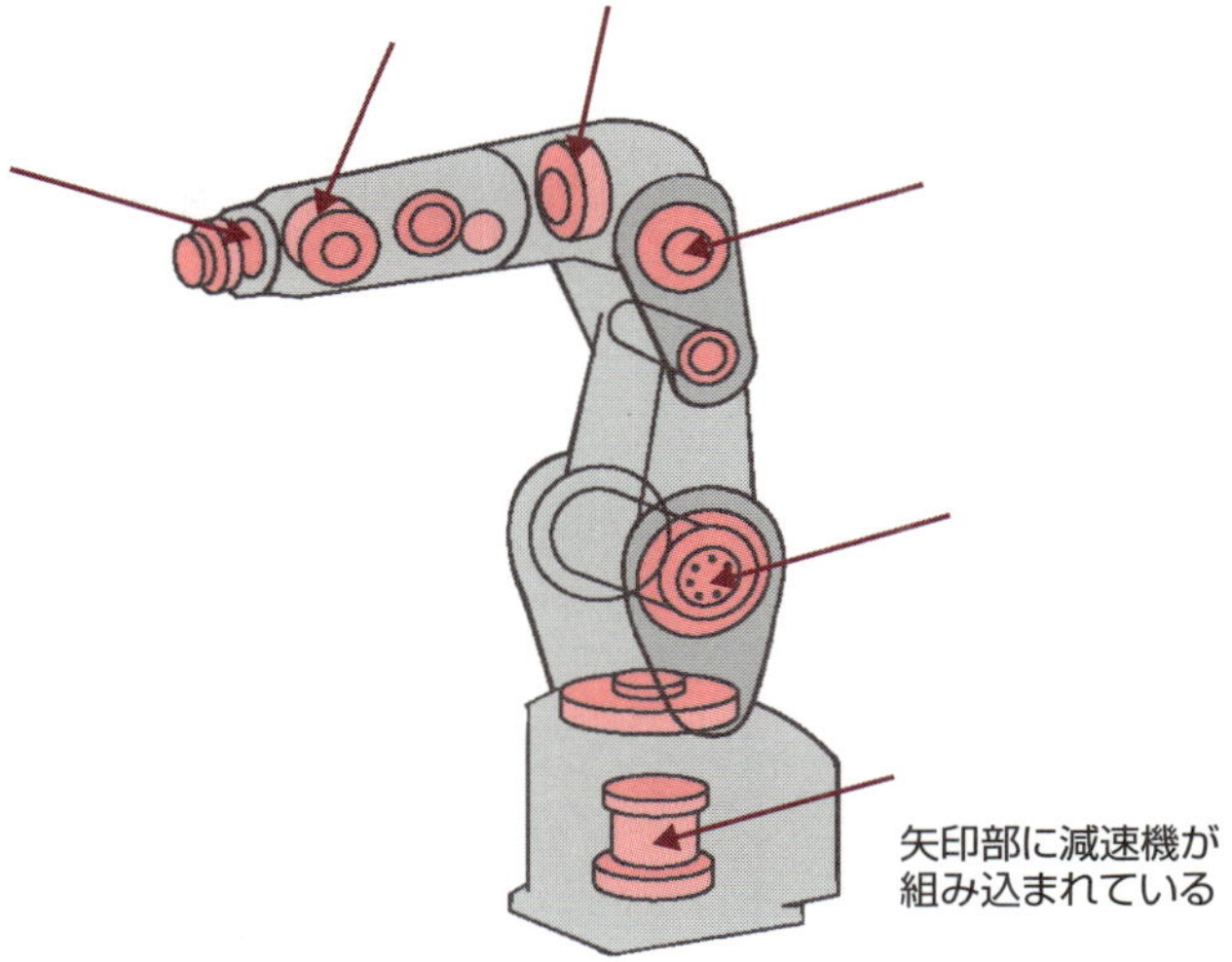

ロボット産業の広がり

「国際ロボット展」における出展製品の分野例

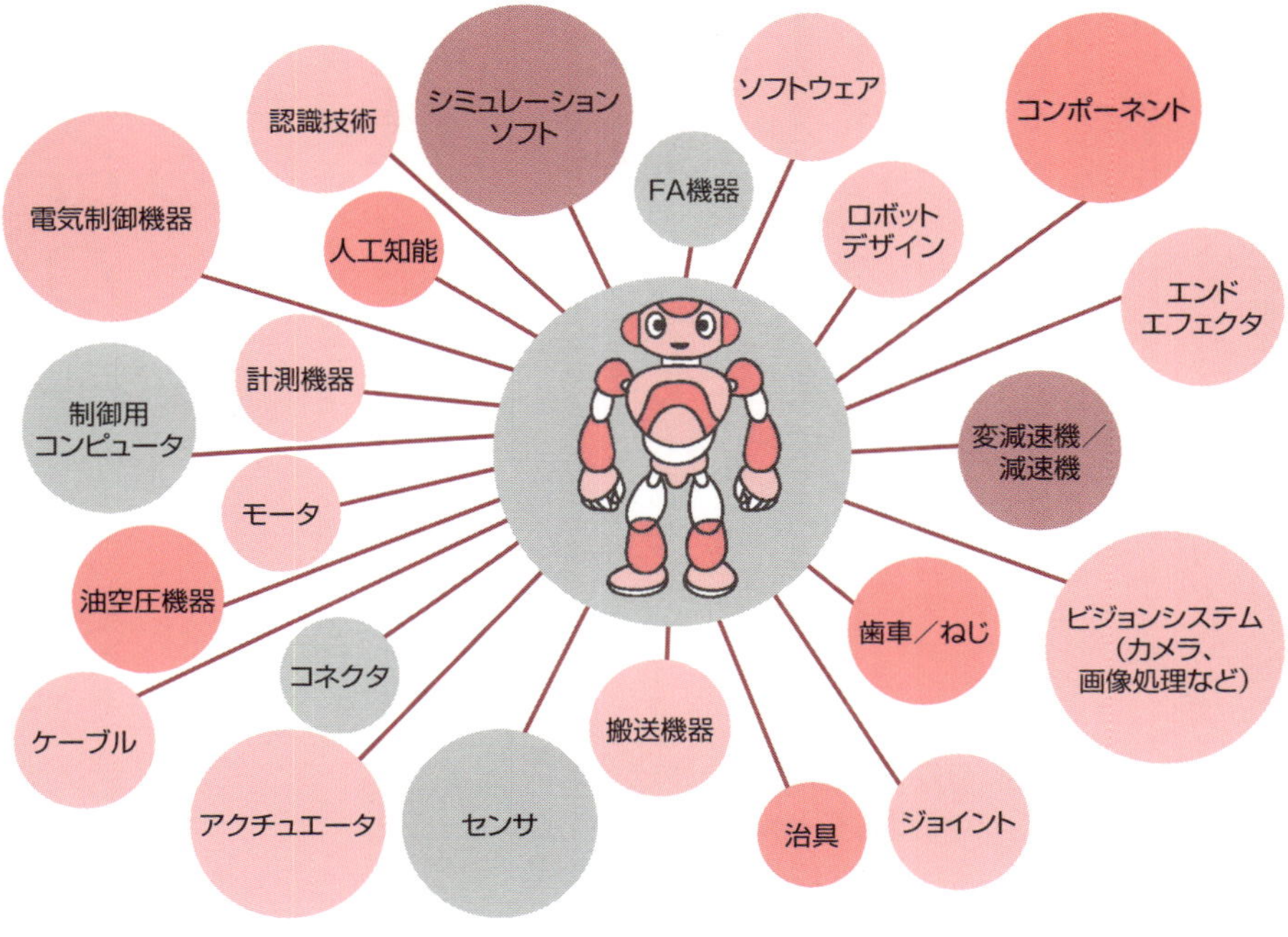

8 ロボットによる生産革命がGDPの成長につながる

ロボット産業の経済波及効果を考える

国内メーカーによる産業用ロボットの生産額は、2018年に9116億円を記録しました。続く2019・2020年には7000億円台で推移したものの、2022年には過去最高の1兆201億円に到達しました。約10年前の生産額の水準を大きく上回っており、市場は健全だといえるでしょう。

さらに最近では、ロボット市場に対する見方がかなり変わってきました。以前のようにマシン単体の出荷額だけで捉えるのではなく、「ロボットを中核とした生産システムの変革＝ロボットシステムインテグレーション」への投資を含めた、より大きな市場の中で、ロボット産業の成長性を考えるべきだというようになってきたのです。このような動向を受け、2018年には日本ロボット工業会の特定事業委員会として、「FA・ロボットシステムインテグレータ協会（SIer協会）」が創設されました。その目的は、ロボットの導入とFA（Factory Automation）システムの構築を一体の作業として位置づけ、担い手であるロボットシステムインテグレータ（SIer）の育成および能力の向上や、事業基盤の強化、ネットワーク環境の整備などを進めていくというもので、2023年には一般社団法人日本ロボットシステムインテグレータ協会として独立しました。

日本でもっとも早い時期からロボットを導入してきた自動車関連産業の市場規模は70兆円を超えます。さらに、FAをリードしてきた電気機器や機械、金属などを含めると、ロボットシステムインテグレーションの恩恵を受ける産業の規模は膨大です。そのようなことから経済産業省でもこの分野への支援を積極的に行うようになりました。

中国など新興工業国との競争に勝つためにも、最新のロボットによる生産革命は重要です。ロボット市場が1兆円拡大すればGDPは3兆円近く増えるという試算もあり、そういう意味からも、ロボットへのさらなる投資が期待されています。

要点BOX

- ●日本の産業用ロボット市場は1兆円産業に
- ●FAへの投資も広義のロボット市場
- ●SIerへの支援が日本の製造業を強くする

国内の産業用ロボット生産額

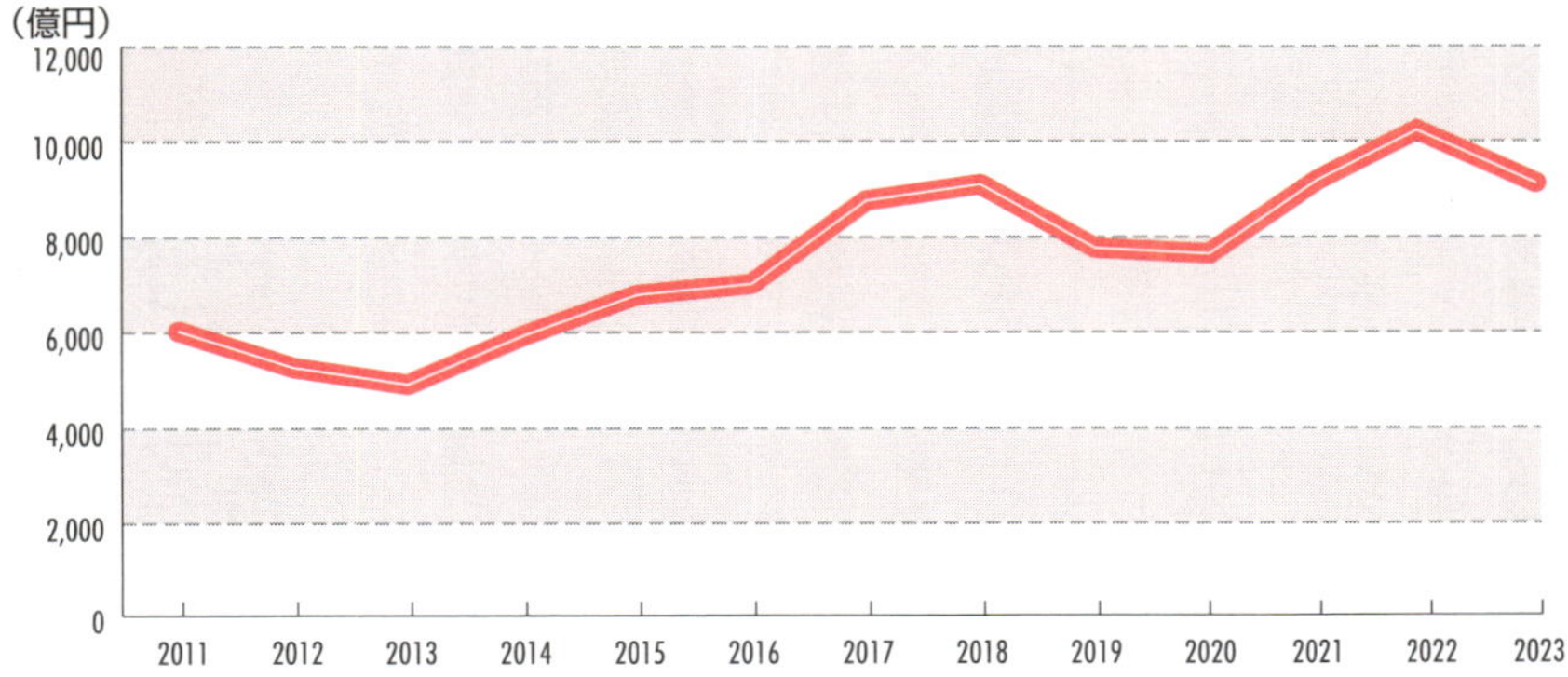

FA・ロボットシステムインテグレータ協会の使命

SIerを中心とした FA・ロボット業界 ネットワークの構築

- SIerを中心とした全国規模の情報ネットワークの確立
- SIerの受注機会の拡大や、ユーザー要望に対してベストフィットソリューションを提供できるSIerとのマッチング実現に向けた受発注ネットワークの構築

SIerの 事業基盤の強化

- SIerの経営基盤や事業環境の向上に向けた、SIer間の協業体制の構築や業界標準の策定、人材確保支援など

システムインテグレーションに対する 専門性の高度化

- FA・生産システムおよびそのインテグレーションに対する専門性を強化するための、技術・安全講習を通した人材育成や教材開発など

ロボットSIer検定事業の取り組み

9 国家戦略「ロボット革命」が日本経済成長の切り札になる

ロボット産業の将来を描く

前項で紹介したロボットシステムインテグレーションへの支援を、国家レベルで進めていこうという動きが始まったのは2014年のことです。5月に開催されたOECD閣僚理事会において、安倍晋三総理（当時）が「ロボットによる新たな産業革命を起こす」と表明し、9月には首相官邸内で「ロボット革命実現会議」が開催されました。そこで定義された「ロボット革命」の定義は左ページにまとめておきます。

政府が本腰を入れるようになった背景には、大きな危機感がありました。それまでの日本は、産業用ロボットの年間出荷額や稼働台数においてトップであり続け、文字通り「ロボット大国」として君臨してきたのです。

ところが、欧米諸国がデジタル化やネットワーク化による新たな生産システムの導入を積極的に推し進める一方、世界最大のロボット導入国となった中国ではこの分野への投資をさらに加速させていたため、徐々にその地位を脅かされていきます。それらの動きに対抗していくには、新たなイノベーションにより、日本のロボット産業を強化していくしかなかったのです。

ロボット革命を実現するのに有効な戦略のひとつが、日本を世界一のロボット利活用社会にすることでした。それまで導入が遅れていた中小企業や農林水産業、介護・医療、社会インフラなどの分野で活躍できるロボットシステムを開発し、新たな市場の開拓につなげるのです。ほかにも、日本を世界のロボットイノベーション拠点にすることや、IoT時代のロボットで世界をリードすることなどが国家戦略として打ち出されました。

重要なのは、ロボットを単体のマシンとして捉える時代はとっくに終わっているという点です。ITと融合し、ビッグデータやネットワーク、人工知能を使いこなせるロボットシステムに育て上げていくことで、日本のロボット産業は成長し続けていけるのです。

要点BOX

- ●政府が強力に推し進めるロボット革命
- ●利活用領域を広げて新たな市場の開拓に
- ●マシン単体ではなくITと融合したロボットへ

ロボット革命とは

①ロボットが劇的に変化(「自立化」「情報端末化」「ネットワーク化」)自動車、家電、携帯電話や住居までもがロボット化

②製造現場から日常生活まで、様々な場面でロボットを活用

③社会課題の解決や国際競争力の強化を通じて、ロボットが新たな付加価値を生み出す社会を実現

出展:ロボット革命・産業IoTイニシアティブ協議会事務局
https://www.jmfrri.gr.jp/outline/overview.html

コロナ禍におけるロボット活用事例

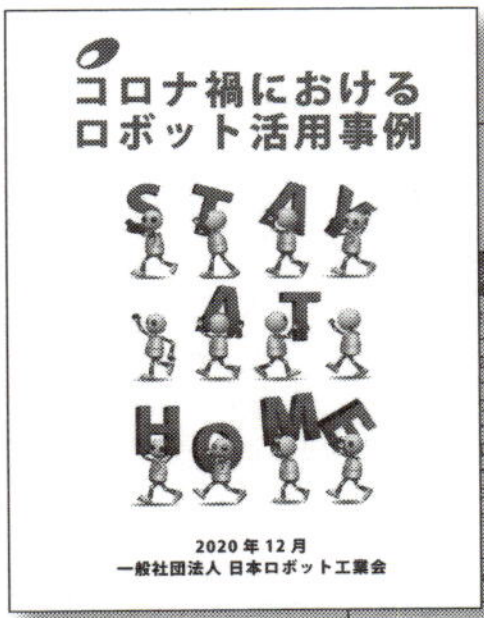

INDEX

	用途	業種	導入/実証	テーマ
RDYNE(株)	除菌・清掃	運輸業、郵便業　公務　その他	導入	除菌剤噴霧・紫外線除菌機能搭載の除菌クリーニングロボット
ZMP	警備・消毒・除菌	運輸業、郵便業　その他	実証	無人警備・消毒ロボ「パトロ®」による自動消毒
アルファクス・フード・システム	コロナ対策注意喚起・除菌	生活関連サービス業, 娯楽業	導入	除菌ロボット
Doog	除菌	教育、学習支援	導入	UV-C紫外線照射 自動巡回ロボットによる公共施設の除菌
スマートロボティクス	除菌・清掃	医療、福祉	導入	遠隔操作型の殺菌灯搭載ロボットによる感染予防対策
バンクロボティクス(株)	除菌・清掃	医療、福祉	導入	ロボットによる除菌清掃(試験導入)
テムザック	除菌消臭・巡回見守り	医療、福祉	導入	除菌消臭液の噴霧機能付、施設巡回見守り駆けつけロボット

【非接触】

No	社名	用途	業種	導入/実証	テーマ
8	(株)ZMP	搬送	運輸業、郵便業　その他	導入	物流支援ロボット「CarriRo®」
9	(株)シンテックホズミ	搬送	宿泊業、飲食サービス業	導入	無人搬送ロボットの活用によるホテル業務の効率化と衛生基準強化
10	(株)ZMP	配送	運輸業、郵便業	実証	無人宅配ロボ「デリロ™」
11	NECネッツエスアイ(株)	配送	その他	実証	ニューノーマル・ソリューション(非接触・省人化)として、配送業務効率化の自社実践
12	(株)ハタプロ	案内	卸売業、小売業　その他	導入	AI自動接客ロボットによる商品案内
13	ソフトバンクロボティクス(株)	案内	医療、福祉	導入	ロボットによる入居者案内(試験導入)
14	THK(株)	案内	その他	実証	サイネージの移動ロボット化による非接触・非対面おもてなし
15	アンドロボティクス(株)	飲食物提供	運輸業、郵便業	実証	自律走行できる協働ロボットによる飲料・食料品の提供サービスの実証実験
16	ソフトバンクロボティクス(株)	検知	生活関連サービス業、娯楽業	導入	発熱検知とマスク着用検知
17	川崎重工業(株)	検温	教育、学習支援業	導入	協働ロボットduAroを使った検温
18	THK(株)	検温	その他	実証	検温ロボットによる無人受付、社印の健康管理
19	川崎重工業(株)	検査	運輸業、郵便業	実証	自動PCR検査サービス
20	(有)ソリューションゲート	学習指導	教育、学習支援業	導入	非接触で学習指導が可能な先生ロボット「ユニボ先生」
21	iPresence(同)	面会	医療、福祉	導入	テレプレゼンスロボットでのオンライン面会サービス
22	CYBERDYNE(株)	自立支援・フレイル予防	医療、福祉	導入	在宅個人向けの自立支援用HAL(腰タイプ)レンタルサービス
23	(株)ハタプロ	フレイル・口腔ケア	医療、福祉	実証	AIロボットによる高齢者の口腔と摂食嚥下の機能維持・向上支援プログラム
24	(株)シャンティ	スクリーニング	医療、福祉	導入	非対面による感染症スクリーニングや説明対応
25	ユカイ工学(株)	会話	医療、福祉　その他	実証	高齢者とコミュニケーションロボットBOCCOを使った毎日のおしゃべり　#誰かと喋ろう
26	NECネッツエスアイ(株)	受付・案内	その他	実証	QRコードによる来場者受付、会議室への誘導する受付ロボット
27	Mira Robotics(株)	警備	サービス業	導入	アバターロボットを用いた自動運転と遠隔操作による非接触警備
28	THK(株)	配膳	運輸業、郵便業	実証	自律搬送ロボットによる非接触・非対面おもてなし
29	(株)QBIT Robotics	配膳	宿泊業、飲食サービス業	導入	サラダバーの「蜜」を避け、配膳ロボットを導入

【その他】

No	社名	用途	業種	導入/実証	テーマ
30	コネクテッドロボティクス(株)	調理	宿泊業、飲食サービス業	導入	そばを茹でる・洗う・締めるの調理工程を自動化

活用事例を
紹介した目次
(除菌や非接触
などの分類別)

Column

ロボット工学三原則はロボット開発の基本か？

ロボット工学三原則（Three Laws of Robotics）はアメリカのSF作家アイザック・アシモフが小説の中で示したもので、今でもロボットの解説をするときによく引用されます。このため、ロボットづくりの憲法のように思い込んでいる人がいますが、本当にそうなのでしょうか？　三原則の内容を紹介しておきます。

《第一条》ロボットは人間に危害を加えてはならない。また、その危険を看過することによって人間に危害を及ぼしてはならない。

《第二条》ロボットは人間に与えられた命令に服従しなければならない。ただし、与えられた命令が、第一条に反する場合は、この限りでない。

《第三条》ロボットは第一条および第二条に反するおそれのない限り自己を守らなければならない。

第一条、第二条については当然の内容ですが、ただし、これらは自動車や家電品、その他、あらゆる道具に当てはまりますので、ロボット開発者だけが特別、気にすることではありません。また第三条についても、現実には自己防御機能をもつロボットなどほとんどなく、通常の機器類と同様の耐久性が求められるだけです。

結局、この三原則はSF作品に登場するような「人間とほぼ同じ機能をもつ機械」を想定した仮定の話であり、実際のロボット製作とはあまり関係ありません。このためペットロボットAIBOの開発チームは、こんなパロディをつくっていたほどです。

「ロボット工学三原則・AIBO版」

《第一条》ロボットは人間に危害を加えてはならない。自分に危害を加えようとする人間からも逃げることは許されるが、反撃してはいけない。

《第二条》ロボットは原則として人間に対して注意と愛情を向けるが、ときに反抗的な態度を取ることも許される。

《第三条》ロボットは原則として人間の愚痴を辛抱強く聞くが、ときには憎まれ口を利くことも許される。

資料提供：ソニー

第2章

ロボットを構成する要素技術

10 ロボットを構成する要素技術は大きく分けて3種類

ロボットの3要素技術

ロボットは構造的にも機能的にも複雑な機械ですが、構成している要素技術を整理していくと次の3種類に集約できます。このため、これらを「ロボットの3要素」と呼ぶことがあります。

●センサ系
●知能・制御系
●駆動・構造系

センサ系は人間に例えると感覚器官であり、目や耳などのように外界からの情報を得るのに使われます。また、機械内部の状態を知る内界センサも重要です。

知能・制御系は頭脳と神経網にあたり、センサからの情報を処理して全身のコントロールを行うコンピュータシステムを指します。

駆動・構造系は筋肉や骨格にあたり、モータなどのアクチュエータや動力伝達機構、アーム、エンドエフェクタ（ハンドツール）、移動機構、筐体《きょうたい》などさまざまです。

技術の分類ができたところで、もう一度、ロボットと自動車を比べてみましょう。自動車は簡単なものであれば駆動・構造系だけでつくることができます。コントロールユニットのような知能・制御系や車内外の状態を知るセンサ系はあくまでオプションに過ぎません。

これに対して、ロボットは最初からこれら3つの要素を必要とします。しかも、それぞれが相互に連携しながら統合した機能を果たすことにより、自律的な動きができるのです。

最近の自動車は進化したカーナビシステムや運転支援／自動運転システムなどによってロボット化しているといわれます。しかし、センサ系から知能・制御系を経由してくる情報が、直接、駆動系に伝わるわけではなく、人間（ドライバー）の介在が欠かせません。ここがロボットとの最大の違いで、出発点の段階からこの2つは設計思想がまったく異なるのです。

要点BOX

●センサ系は人間の感覚器官にあたる
●知能・制御系は頭脳にあたる
●駆動・構造系は筋肉や骨格、皮膚、手足などにあたる

人と対比させたロボットの要素技術

人間		ロボット
知能		情報・情報処理
運動	腕	腕（アーム）
	手・工具	エンドエフェクタ（ハンドツール）
	筋肉	アクチュエータ
	脚	移動機構
感覚		センサ（外界センサ・内界センサ）

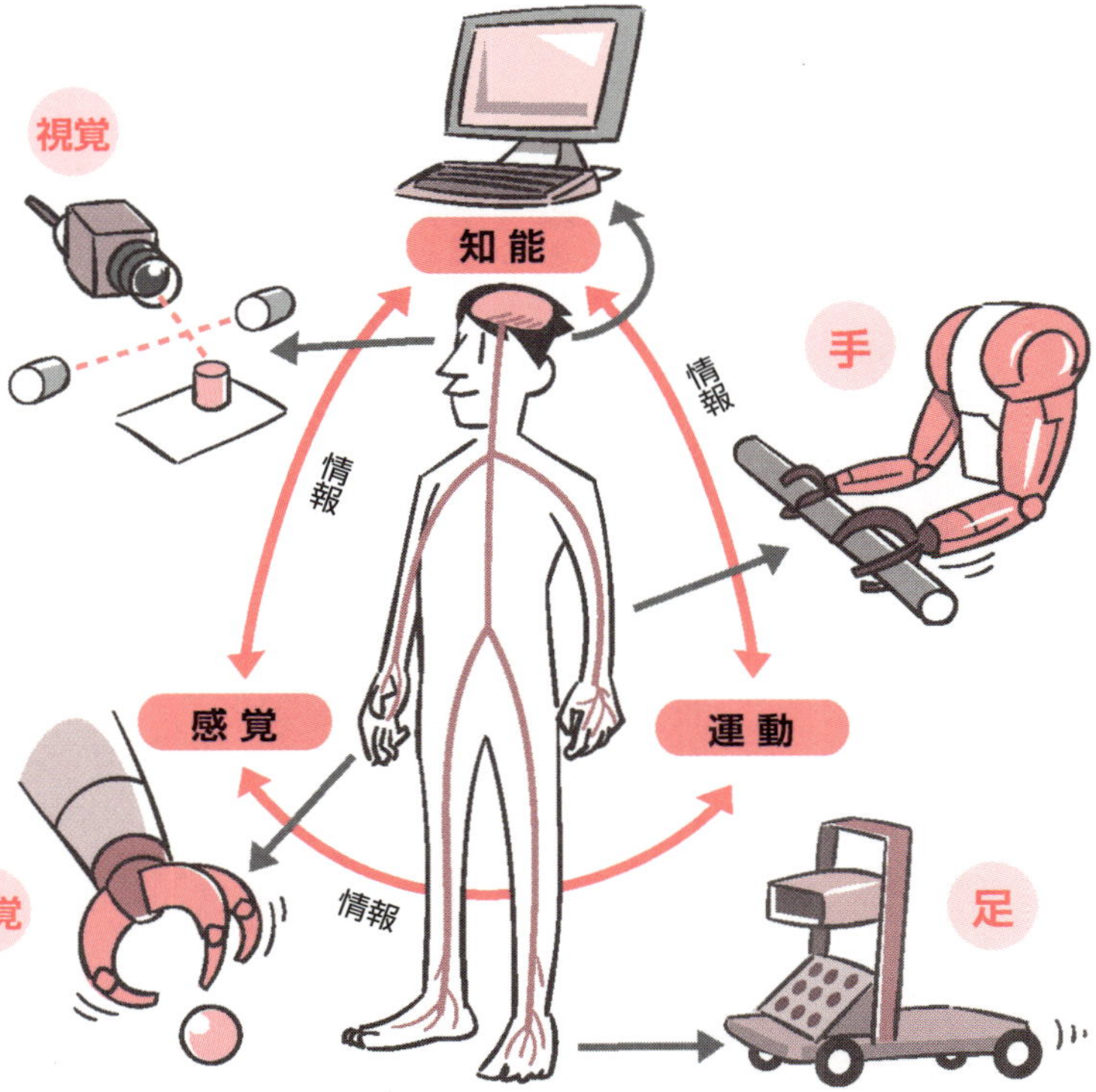

11 ロボットの感覚は自由に設計できる

外界センサ1

人間の感覚について昔から五感という言葉が使われてきました。すなわち視覚（目）、聴覚（耳）、触覚（皮膚）、味覚（舌）、嗅覚（鼻）の5つによって外界を感知していると考えられてきたのです。現在では、これらに加えて三半規管による平衡感覚が知られていますし、また動物の種類によっては電気や磁気を強く感じることがわかっており、生物の感覚は思っていた以上に多彩なようです。

ロボットの外界センサも、人や動物の感覚器官と同じような機能を目指して開発されてきました。たとえば視覚用の画像センサ、聴覚用の音センサ、触覚用の感圧センサ……といった具合です。ただし、ロボットの場合は生体に伴う多くの制限がないため、自由にセンサを設計できるという特色があります。

①目的に合わせて取捨選択できる

産業用ロボットでは周囲の把握は視覚だけで足りることが多いので、音を感知するセンサはあまり必要としません。一方、人間とコミュニケーションをとるサービスロボットでは聴覚は必須です。このように設計要件によって感覚器官を選べます。

②目的に合わせて能力を変える

人間の視覚は電磁波の一部である光（可視光線）しか感知することできませんが、ロボットでは赤外線やX線、電波なども利用することが可能です。逆に、複雑な画像認識を必要としない機種であれば光の有無や強弱を判断するだけの簡単なセンサで済み、その分、知能・制御系への負担を軽くできます。

③新たな感覚を加えられる

障害物を避けながら動くロボットでは、たいてい超音波による距離センサが搭載されています。このような機能はコウモリなど一部の動物しかもっていません。その他、原子力発電所で働くロボットは放射線量計測用のセンサを備えるなど、生物にないまったく新しい感覚を付け加えることもできます。

要点BOX

- ●人間は五感＋平衡感覚などで外界を感知する
- ●ロボットの外界センサは取捨選択が可能
- ●生物にない感覚能力をもたせることもできる

ロボットがもつことのできる「感覚」

外界センサ	視覚	画像センサ（CCD、CMOS）、光電センサなど
	視覚（拡張）	赤外線センサ、X 線センサ、補助光用照明など
	聴覚	音センサ、声紋認証センサなど
	触覚	感圧センサ、感熱センサ、湿度センサなど
	触覚（拡張）	放射温度計など
	味覚	味覚センサ
	嗅覚	においセンサ、イオン濃度センサ、ガス濃度センサなど
	平衡感覚	加速度センサ、ジャイロセンサなど
	距離感覚	超音波センサ、近接センサ、変位センサ、レーダーなど
	磁気感覚	地磁気センサ、金属探知センサなど
	時間感覚	時計、タイマーなど
	位置感覚	加速度センサ、GPS など
	電波受信	アンテナ
	放射線計測	放射線センサ
内界センサ	動作制御	ロータリーエンコーダ、ポテンショメータ、ひずみゲージ、力覚センサなど
	姿勢制御	加速度センサ、ジャイロセンサなど
	電力制御	ブースタ、インバータなど
	温度制御	温度センサ

12 ロボットだけがもてる特殊感覚

外界センサ2

ロボットのセンサは、人間などの感覚器官を模して開発されてきたものが多いのですが、なかには自然界では絶対に考えられないような特殊能力を可能にするセンサもあります。

たとえば、工場や倉庫などで働く産業用ロボットでは、オプションでバーコードや2次元コードを読み取るコードリーダが付けられていることがあります。目の前を流れてくる部品や製品を瞬時に識別し、適切な作業を選択するためですが、このような能力はいくら人間がトレーニングしても取得できないはずです。

また、一般的な「目」にあたる画像センサの取り付け場所についても、動物では視神経をできるだけ短くするため脳の近くにあるのですが、ロボットではそのような制限はありません。このため「アームの先端にカメラを付けて動きを精密に制御しよう」といった発想が生まれます(さらにいうと、ロボットに付ける必要すらなく、外部にあってもかまいません)。

その他、サービスロボットではコミュニケーションの対象となる個人を識別する生体認証装置が付けられるはずです。もちろん私たちも顔や声で個人を区別できますが、ロボットにも同等かそれ以上の識別能力が求められます。

味覚や嗅覚はロボットに備える機能としてはあまり重視されてきませんでした。危険察知のためのガス濃度センサを装備することはあっても、おいしい味やいい匂いを感じさせようという発想はなかったのです。

しかし今後、生活支援や介護を目的としたサービスロボットを考えたとき、人間に近い感覚を持たせることが重要になってきます。最近では甘味・酸味・塩味・苦味・旨味という味覚の5要素を数値化して科学的に食品開発を行う試みが始まっています。それに伴って味覚センサも急速に進歩してきており、その成果を活かせば「ロボットシェフが活躍するレストラン」が誕生するかもしれません。

要点BOX

- ロボットの感覚は生物的制約にとらわれない
- 一例としてアームの先に目を付けて精密制御
- 味覚や嗅覚の研究はロボットにとっても重要課題

ロボットに期待される特殊感覚

感覚	必要なセンサ	実用例
コード読み取り	一般的な画像センサでも可能だが専門のコードリーダーを使うことが多い	工場や倉庫では品番識別に有効。空港のバーコード式手荷物自動輸送システムは、このセンサを活用した巨大なロボットともいえる
金属探知	コイルから高周波の磁界を発生させ、周囲の磁気抵抗変化を感知する磁気誘導型近接センサを使う	地雷除去のための探知ロボットでは必須の感覚。食品工場で異物発見をするロボットにもこの能力が必要になる
全地球測位（GPS）	すでに製品化されているGPS センサを使用	絶対位置の測定には不可欠。屋外を移動するロボットやロボットカーでは必須の感覚
ハイダイナミックレンジ合成（HDR）	露出を変えて得た画像センサからの複数の情報をコンピュータで合成	動物の目は感知できる明るさの幅に限界があるが、ロボットなら明るいところから暗いところまで同時に見えるので監視などに有効
3次元フォーカス視覚	ライトフィールド技術用の画像センサが必要。物体の距離情報まで記録することで「ピント」の概念がなくなる	距離に関係なく鮮明が画像が得られる画期的な視覚であり、画像認識に革命をもたらす可能性がある
放射線測定	ガイガーミュラー計測管など多数あり	原子力発電所や宇宙空間などで働くロボットには必須の感覚

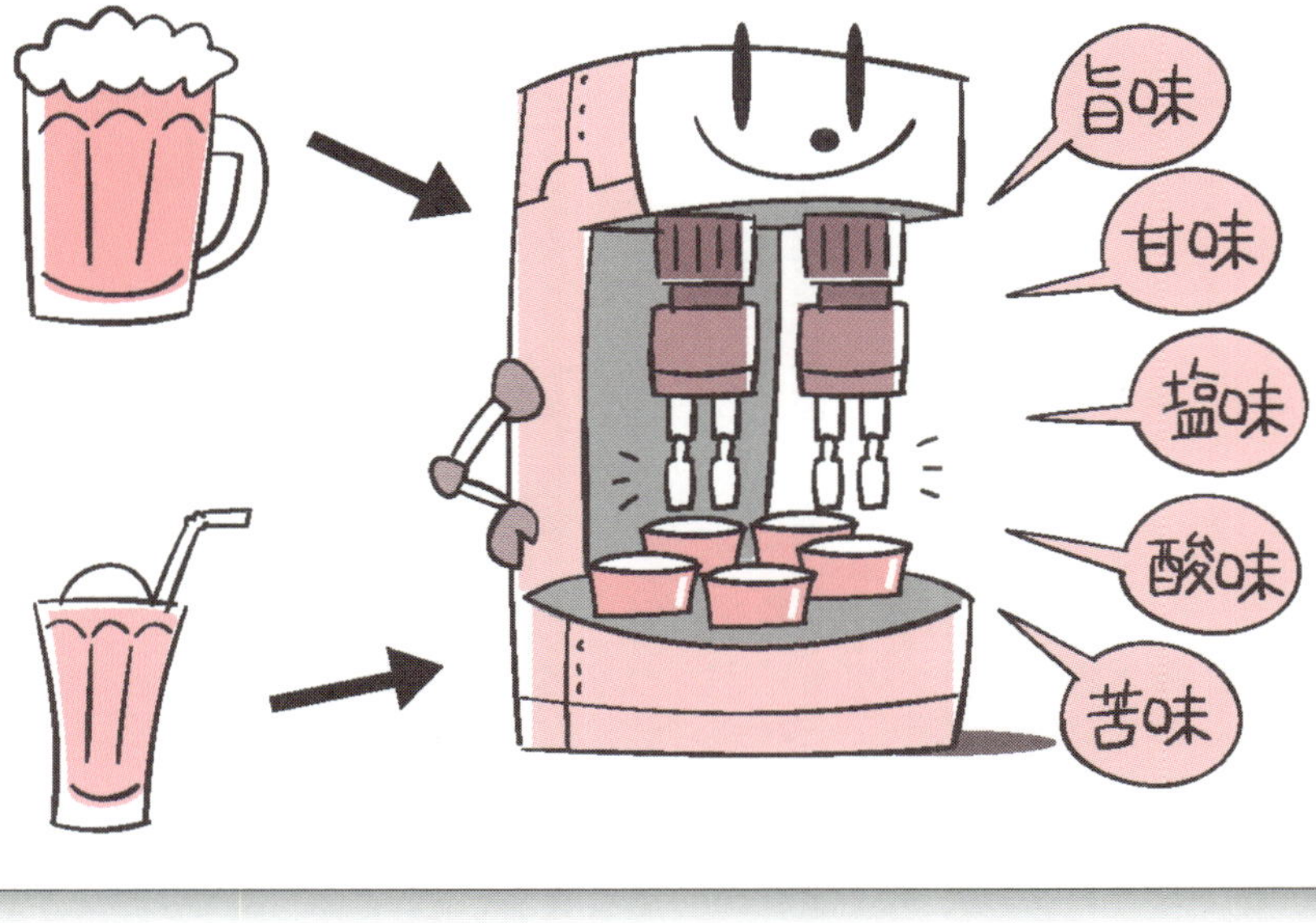

13 エンコーダがなければロボットはきちんと動けない

内界センサ1

人間の感覚には外界に向けられたもの以外にも、内臓感覚と呼ばれる内界の感知があります。ただし、これらは空腹感や疲労感、痛みといったものを除けば自分で意識することは少なく、これまであまり言及されなかったのです。実際には、内臓の感覚がなければ体内のあらゆる器官は正しく働きませんから、外界感覚と同じくらい大切なのかもしれません。

そして、ロボットを開発するときには、このような「普段知ることのない内臓感覚」をひとつずつ構築していかなければなりません。しかも、ロボットの内部構造は生物とはまったく異なるので、外界センサのように動物の例をあまり参考にできないという難しさがあります。

ロボット用の内界センサでもっとも重要なのがエンコーダです。なかでも、モータの回転角度や速度を検出するロータリーエンコーダがなければ、ロボットはまともに動くことすらできません。このため、正確なアーム操作が必要な産業用ロボットでは、エンコーダの性能が製品の品質を大きく左右します。

今後、多目的に使われるサービスロボットがたくさん開発されていくようになれば、より複雑な動作パターンが求められますから、エンコーダによる制御技術はますます大切になってくるはずです。ちなみに人間も、筋肉などの状態により腕や脚の動きをある程度は感知できるものの、エンコーダほど正確ではないことから、精密な作業を行うには視覚による補正が欠かせません。

エンコーダ以外にも関節の回転位置や速度を知る方法はあり、以前はトランスの原理を利用したレゾルバや、可変抵抗器の応用であるポテンショメータ、発電機と同じ仕組みのタコジェネレータなどを予算や条件によって使い分けることがありました。しかし、最近では一部でレゾルバを用いるのを除き、ほぼエンコーダに統一されています。

要点BOX

- 人間が意識しない内界センサの開発が重要
- エンコーダでモータの回転位置や速度を検出
- 他の方式はほぼ淘汰されエンコーダに統一

ロータリーエンコーダの仕組み

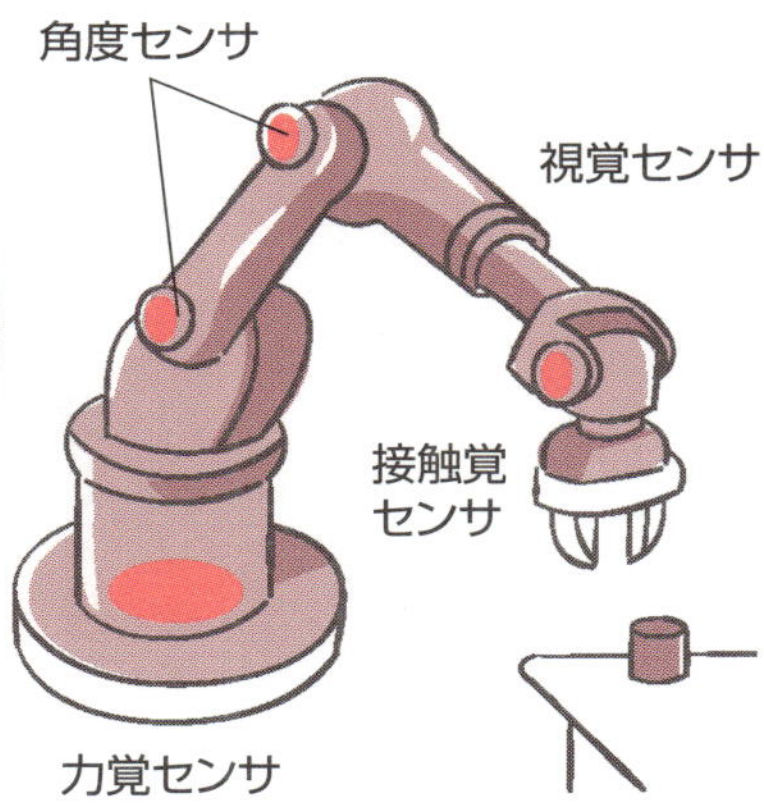

スリットの開いた円盤をモータの軸に取り付け、発光素子（ランプ）からの光を受光素子（光センサ）で読み取る。
光のオン／オフの回数や頻度によって回転角度と回転速度がわかる
スリットの形状の違いによりインクリメンタル形とアブソリュート形がある

ロータリーエンコーダの構造

<table>
<tr><th>分類</th><th>構造</th></tr>
<tr><td>インクリメンタル形</td><td>軸の回転とともに光学パターンが書き込まれたディスクが回転すると、それに応じて、2 カ所のスリットを通る光が透過、しゃ断される。この光は、それぞれのスリットに対抗する受光素子で電流に変換され、波形整形されて 2 つの矩形波出力として出力される。この 2 カ所のスリットは、矩形波出力の位相が互いに 1/4 ピッチ異なるように配置されている
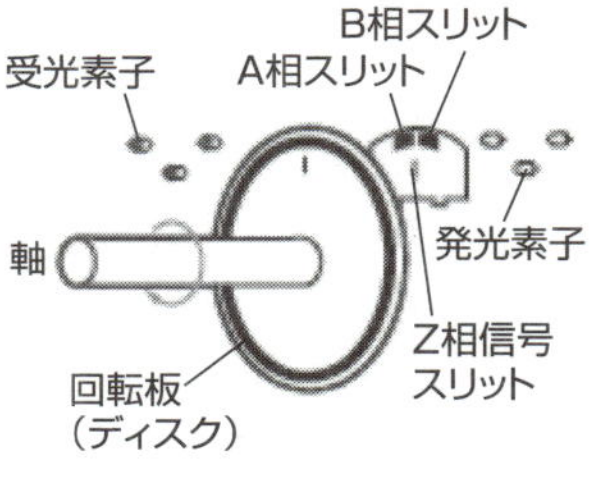
</td></tr>
<tr><td>アブソリュート形</td><td>パターンの書き込まれたディスクが回転すると、パターンに従ってスリットを通過した光は、あるものは透過、あるものは遮られる。透過した光は受光素子で電流に変換され、波形整形された後デジタル信号になる
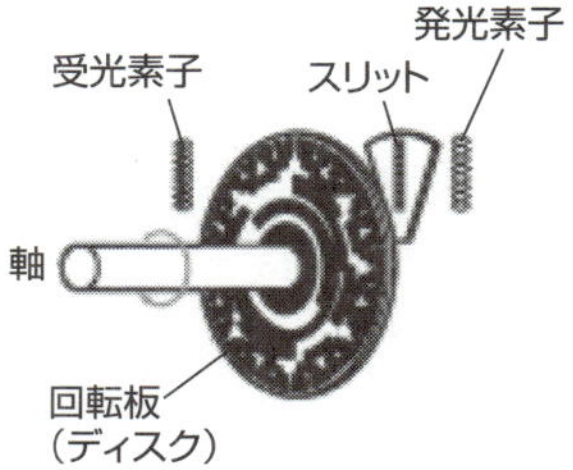
</td></tr>
</table>

資料提供：オムロン

14 力を加減するには「力覚」が必要だ

内界センサ2

物をもったときに感じる重さや、つかんだときの力加減は、以前は触覚の一部のように思われてきました。しかし、実際には皮膚ではなく筋肉への反力によるものであることから、最近は「力覚」と呼ぶ独立した感覚だと考えられるようになっています。そしてロボットにどうやって力覚を与えるかは、開発上の大きなテーマでした。

このような課題を解決する変位センサの代表例が「ひずみゲージ」です。基本的な構造は、薄い絶縁体シートの上にジグザグ状にレイアウトされた金属箔を貼り付けたようになっており、変形によって生じる電気抵抗の変化から、わずかな「ひずみ量」も正確に読み取れるのです。

アーム型ロボットであれば上面や下面にひずみゲージを貼ることで、つかんだ物体がアームの筐体《きょうたい》に与える荷重の大きさを「弾性体のひずみ」として検知できます。そして、そのデータをもとにアクチュエータの動きを最適化し、適切なスピードで持ち上げるのです。また、ハンドツールの「指」にもひずみゲージを装備することで、つかむ力も調整が可能になります。

最近では、ひずみゲージや静電容量型変位センサと計測システムなどをパッケージ化した力覚センサが数多く商品化され、ロボット用の標準パーツとして広く利用されるようになってきました。このセンサが優れているのは、装置1つで縦・横・高さの3方向への力を同時に検出できる点です（3軸力覚センサ）。さらに、6方向の力に対応した6軸力覚センサも開発されており、ロボットの性能向上に大きく貢献しています。

6軸の力覚センサは産業用ロボットでは「コネクターの装着具合を力具合から判断する」といった目的から力覚センサを積極的に使うようになってきました。また二足歩行ロボットにも有効で、「床の凹凸を吸収しながら倒れそうになったときに足の裏で踏ん張る」という床反力制御を可能にしています。

要点BOX

- 力加減を知る力覚がロボットには欠かせない
- 電気抵抗の変化でひずみを知れば力がわかる
- 6方向からの力を測る高性能の力覚センサも

ひずみゲージの構造

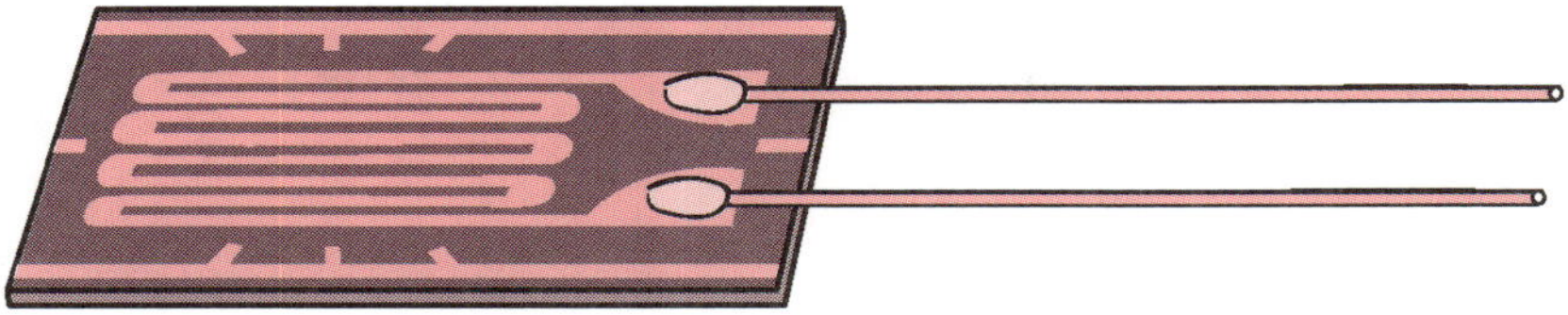

金属ひずみゲージは絶縁体シートに封じ込められた金属箔（抵抗線）とそこから伸びるリード線によって構成される。シートにひずみがかかると内部の回路の電気抵抗が変化するので、それを増幅して読み取ることにより応力や荷重の強さを測定する

パッケージ化された力覚センサの例

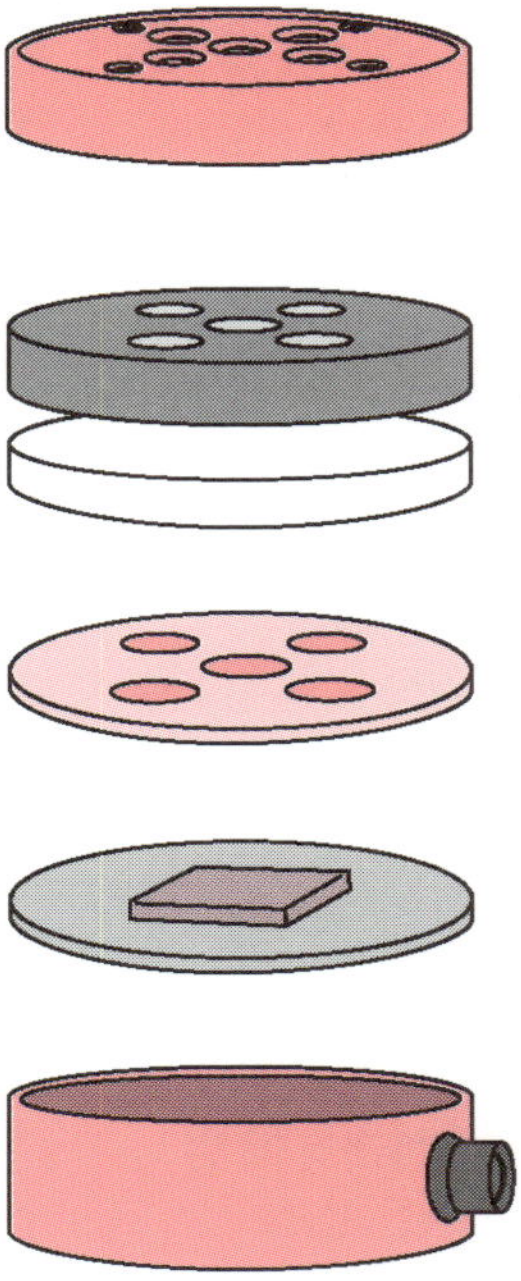

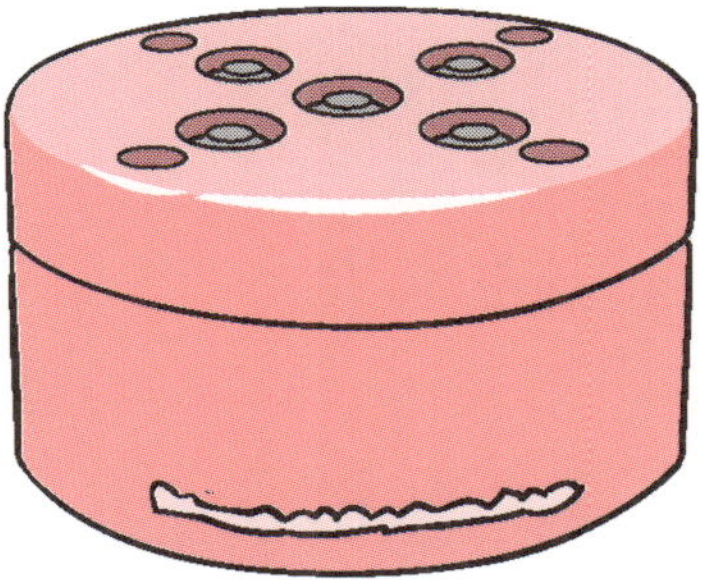

15 加速度が測れればまっすぐ立て、移動距離や場所もわかる

内界センサ3

ロボットに必要なその他の内界センサについても、重要なものを説明しておきましょう。

加速度センサは物体における速度の変化を感知する装置で、昔はばねでつながった重りの動きを調べる機械型が主流でした。このためサイズも大きく、メンテナンスの手間もかかったのですが、すべての機構をチップの内部に納めた半導体型など新方式の登場により小型化とコストダウンが進み、利用範囲が一気に広がります。スマートフォンを歩数計代わりに使えたり、ゲーム機のコントローラを動かすだけで操作できるようになったりしたのはそのおかげです。

ロボットでは、地球の重力加速度を計測することで傾きを検知して姿勢制御に利用するほか、速度の変化から移動した距離や現在の位置を知るといった目的に使われます。このため、二足歩行ロボットは加速度センサなしには実現できません。

姿勢制御に使われるもう1つのセンサに、ジャイロセンサ（ジャイロスコープ）があります。物体の回転状態（角度や角速度）を知る装置で、これも内部でコマを回す回転型から、より小さな振動型へと進歩してきたことで用途が拡大しました。たとえば、小さなデジカメで高性能の手ぶれ補正機能が可能になったのはそのおかげです。ロボットでは、姿勢制御以外にも移動するときの進行方向を決めるのにも使われるので、サービスロボットが普及したときには、ますます重要性が増すでしょう。

ロボットの中の電気回路は人間にとっての血管や神経にあたる大切なものですから、常に通電状態を監視し、一定の電圧をキープしなければなりません。そのために必要なのが「電圧センサ＋昇圧装置」によるブースターで、内部回路のあちこちに配置されています。また、アクチュエータや駆動部分が過熱状態にならないようにチェックする「温度センサ＋保護回路」も欠かせない内界センサです。

要点BOX

- 加速度センサで重力加速度を調べ傾きを検知
- 小型化したジャイロで進行方向を決定する
- 体内の電気と温度を監視して健康を保つ

機械型の加速度センサの簡略図

静止時

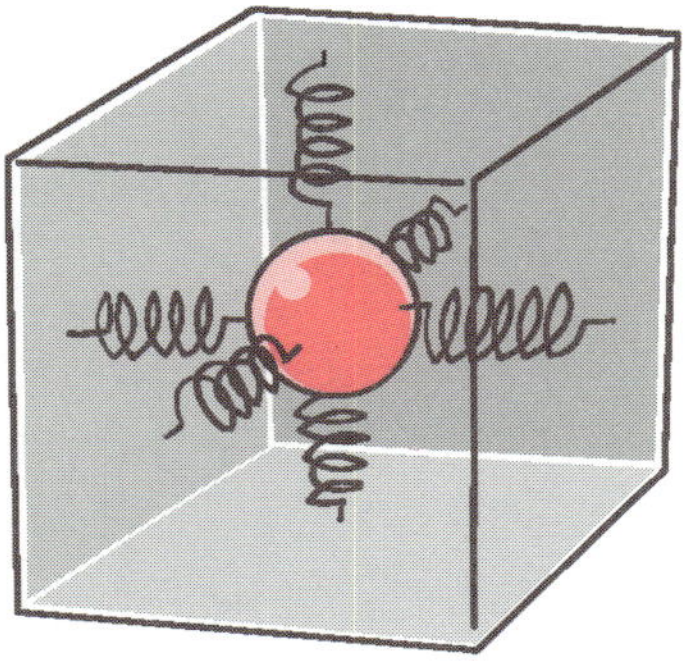

立方体を動かしたとき

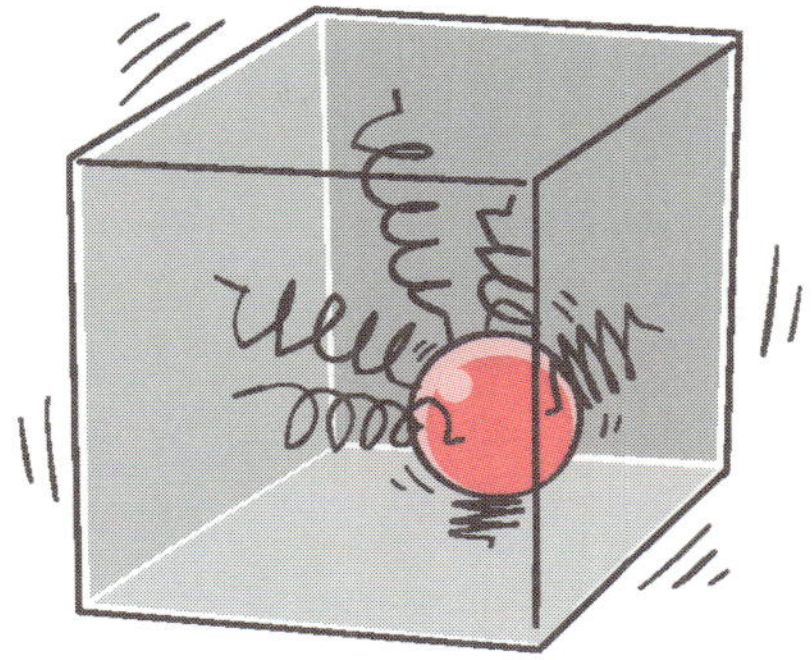

半導体型の加速度センサは基板に埋め込まれている

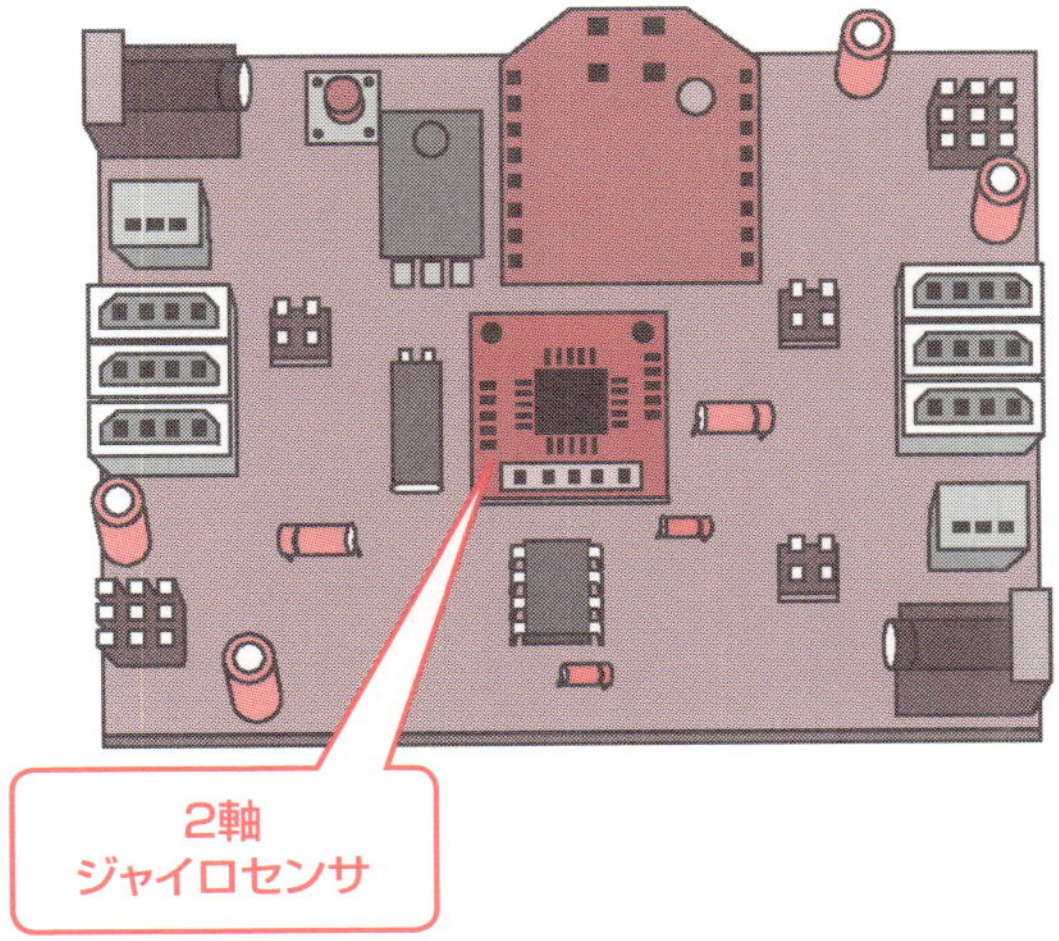

16 ロボットの頭脳は反応がよくないといけない

知能・制御技術1

　ロボットの頭脳は言うまでもなくコンピュータで、大きく分けるとパソコンとマイコン（マイクロコントローラ）があります。パソコンはアプリケーションによって機能を追加できる汎用性の高さが魅力ですが、基板だけにしてもそれなりの大きさがあるので、内部スペースに余裕があるロボットにしか搭載できません。一方、コンピュータシステムを1つの集積回路（LSI）に納めたマイコンは単価が安く大きさや消費電力も格段に小さいため、装置の小型化やコストダウンが見込めます。このため、研究用あるいは開発途中のロボットはパソコンで動かし、量産する段階で必要な機能を移植したマイコンに切り替えるのが一般的な開発手順です。

　マイコンは今やあらゆる家電品に使われています（例外は懐中電灯ぐらいしかないといわれるほどです）。現在ではパソコン用CPUと同じ64ビットの製品も市販され、能力的に遜色はありません。

　マイコンが好まれるもう1つの理由に、リアルタイムシステムを構築しやすいという利点があります。ウィンドウズやマックOSなど、マルチタスクのオペレーションシステムを使った今のパソコンは勝手にさまざまなソフトウェアが動き出すため、設定された時間通りにタスク処理を行う保証がありません。このことは精密で正確な制御が必要なロボットにとって致命的な欠陥になります（器用だが移り気）。これに対してマイコンは組み込みOSという専用のオペレーションシステムで走らせるため、動作が確実なリアルタイムシステムを構築しやすく、ロボットの頭脳としては向いているのです（限定的だが忠実）。

　ただし、産業用ロボットを操作するときに使うティーチングペンダントのような装置では、「ユーザーインターフェースを開発しやすい」といった理由でパソコンと同じOSを使うことがあります。このように目的や用途によりシステム構成を変える柔軟性も、ロボット開発において重要なことといえるでしょう。

要点BOX

- ロボットの頭脳はパソコンかマイコンが担っている
- パソコンは応用が利くが大きく電力も食う
- マイコンのほうがロボットを正確に動かせる

ロボットの頭脳をつくる手順の例

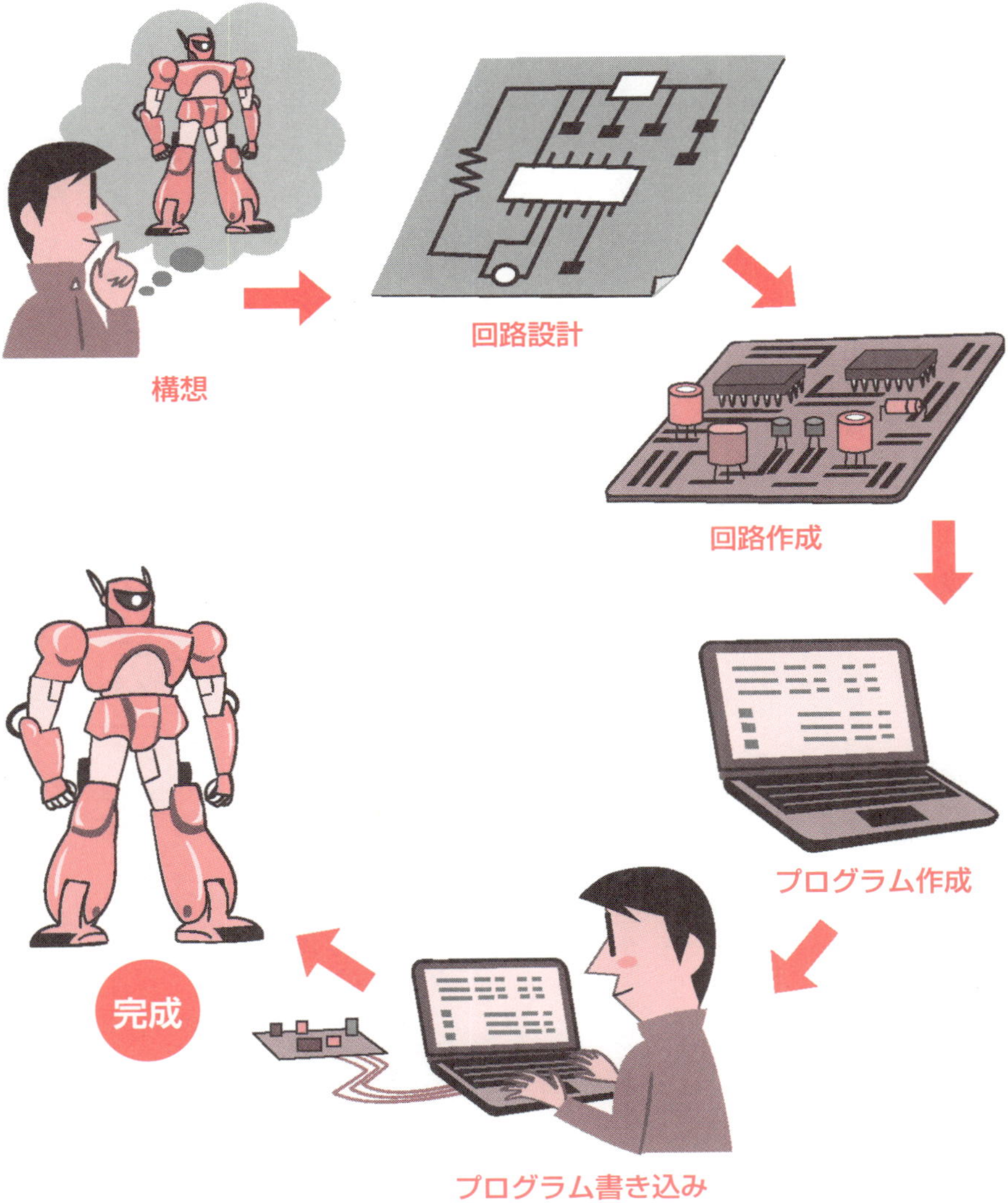

現代のマイコンは高性能のコンピュータだとはいえ、できることはスイッチのON/OFFだけ。したがって、「どういう条件のときスイッチ操作をすればロボットがどういう操作をするか?」といった内容のプログラムをパソコンで作成し、マイコンに記憶させることでロボットの頭脳をつくっていく

17 ロボット専用のソフトウェアが続々登場

従来のロボット開発では、企業や研究機関ごとに独自の方式を採用することが多かったため、OSやミドルウェア、プログラム言語などにあまり共通点がありませんでした。特にメーカー間の競争が激化していた産業用ロボットにおいては、技術やノウハウを秘匿する目的から、公開される情報にも限りがあったのです。

しかし、多くのロボットが普及してきたことにより、最近では基盤となる技術についてはある程度オープン化され、共用されるようになってきました。これに伴い、ロボット用の共通ソフトウェアを普及させようという動きが盛んになってきたのです。

一例として、ソフトバンクグループのアスラテックが2014年に製品化したロボット専用オペレーションシステム「V-Sido OS（ブシドー・オーエス）」について説明しましょう。このソフトウェアでは「手先や足先の位置を大まかに指定するだけで姿勢を制御できる」「ウェブ系の開発言語だけでロボットを制御できる」といった簡便さから、二足歩行ロボットを効率的に開発できるツールとして開発されました。その後、産業用ロボットにまで応用できることが知られると、制御システムを一からすべてつくる必要がなくなり、開発コストの削減や開発期間の大幅な短縮につながると、広く注目を集めるようになったのです。

ロボット用のソフトウェアとしては、他にも日本の産業技術総合研究所（産総研）が開発してきた「ART-Linux」や米国の「ROS(Robot Operating System)」などが、多くの研究機関や産業界で使われています。これらにより、ロボット開発基盤の共通化はかなり進んできました。

第9項で説明したロボット革命においても、日本のロボット技術を世界展開していく戦略の一環として互換性の確保や仕様の標準化が掲げられています。こうした動きは今後も活発になっていくはずです。

要点BOX

- ロボットの基盤技術は標準化される傾向
- 共通基盤の上に独自技術や機能を積む時代に
- ロボット革命でも世界標準化を推進

主なロボット用ソフトウェア

OpenRTM	産業技術総合研究所（産総研）が主体となって開発しているLinux系ロボット用ミドルウェア。即応性を高めてリアルタイムシステムを構築しやすくしており、家電機器や産業機器、プラント制御機器、輸送機器、介護・福祉機器など幅広い分野に応用が期待されている
ART-Linux	産総研の前身の1つである電子技術総合研究所が1998年から研究をスタートさせ、その後、2013年3月まで産総研で開発が続いていたLinux系のロボット用オープンソースOS。HRPシリーズなど国内の多くのロボット開発に使われた
ROS (Robot Operating System)	米国のWillow Garage社が開発し、Open Source Robotics Foundation（OSRF）が維持・管理しているLinux系のロボット用オープンソース・ミドルウエア（OS＋開発ツール）。2007年に公開され、日本の産業用ロボットを含む多くの研究・開発用ロボットに採用されている
Orocos	EUが主導して始まったロボット用フリーソフトウエアプロジェクトにおいて開発されたソフトウェア。同じく欧州系のYARPなどとともに、ヨーロッパでは多くのロボットに採用されている
NAOqi OS	フランスのアルデバランロボティクス社が開発したロボット用OS。2015年6月にソフトバンクから発売され話題になった世界初の感情認識パーソナルロボット「Pepper」にも採用された
ORiN (Open Robot/ Resource interface for the Network)	日本ロボット工業会が2002年に提唱し、ORiN協議会で維持・管理しているミドルウェア。企画の異なる設備や機器、ロボットの橋渡しを可能にする。5Gを使った産業用ロボットの遠隔操作実験も始まった

18 ロボットの頭脳は体内になくてもいい？

ネットワーク技術

コンピュータがスタンドアロンからネットワーク機器に進化していったように、ロボットも今やその多くが通信機器としての機能をもっています。

工場で稼働する産業用ロボットは大規模な生産管理システムに接続され、ライン全体で1つのロボットのような働きをしますし、通常はスタンドアロンのロボットであっても必要に応じて外部からの信号を受けて制御されるほか、新たな機能を追加できるようになっているのが普通です。このような考えから、最近ではもっと積極的にネットワークとの融合を図った「ネットワークロボット」という概念が広く知られるようになってきました。

ネットワークロボットになれば、ロボットの3要素のうち知能・制御系装置の大半を外部に移すことができます。その結果、筐体《きょうたい》のサイズ（物理的大きさおよび消費電力）による制限を受けることなく処理能力を高められ、早い話が巨大なスーパーコンピュータを頭脳代わりに使うこともできるのです。またロボット本体に触ることなく、ソフトウェアをバージョンアップできるのも強みでしょう。

ただし、ロボットの知能・制御系の多くを外部のコンピュータに任せる場合、通信系の強化は必須です。現在のインターネットのようなベストエフォート方式では誤作動を起こしかねないので、リアルタイム性の保証をどうするかといったことが技術課題になってきます。

ロボットのネットワーク化は今後も進むでしょうが、その結果、ロボットと通信機器の線引きはますます難しくなってきます。

たとえば、家庭用コミュニケーションロボット「オハナス」の場合、〝動く〟のは顔にあたる画面上の表示くらいで、あとはクラウドプラットフォームを利用してユーザーと会話するだけ。そうなるとスマートフォンとの違いがはっきりせず、「ロボットの定義とは？」と再び悩ませてくれます。

要点BOX

- ●ロボットの知能は内部にある必要はない
- ●外部からの制御には安定した通信が必須条件
- ●ロボットと通信機器の線引きがあいまいに

ネットワーク技術が取り入れられるロボット

ビジブル型

バーチャル型

アンコンシャス型

19 ロボットを動かすアクチュエータとは？

駆動技術1

ロボットは他の多くの機械、自動車や家電品などに比べると動作パターンが複雑であるため、動力として使われるアクチュエータも多様です。

なお、アクチュエータ（Actuator）とはもともと「動作させるもの」という意味の英語であることから、モータやエンジンなどの駆動装置だけでなく、それらによって動かされ、運動量を変換させる油圧や空圧装置まで含む広義の工学用語として使われてきました。しかし最近では、「伸縮・屈伸・旋回といった単純な運動をするものに限られ、電動機（モータ）やエンジンのような動力を持続的に発生させるもの単体を指してアクチュエータとは呼ばない」といった説明をされることもあり、定義が少しあいまいになってきています。本書では、初期の「物を動かす装置全般（運動発生装置）」を示す言葉として使っています。

アクチュエータは動き方によって回転型と直動型に分けられ、それぞれ動力源ごとに電気式（電動式）、油圧式、空圧式などがあります。ただし、モータと呼ぶときには一般的には回転型を指し、直動型の場合はリニアモータと呼ぶのが普通です。

ロボットとしてもっともよく使われるのは、回転型電気式アクチュエータのサーボモータとステッピングモータです。回転角度や速度を制御しやすい特徴を活かして、軸や移動機構などさまざまな場所で活躍しています。

油圧式や空圧式のアクチュエータは強力なモータを付けるスペースがないところで重宝しますが、オイルや圧縮空気を送り込む機構が必要になり、どこにでも付けられるというわけではありません。

「関節を一定量曲げる」といったシンプルな動きを実現するだけであれば、ソレノイドもアクチュエータになります。電磁石を利用した開閉弁などに使われるもので、モータに比べて応答速度が速いことから、急な動きをさせる箇所には有効です。

要点BOX

- ●アクチュエータは広義では運動発生装置
- ●回転運動型と直動運動型がある
- ●動力源による使い分けがポイント

代表的なアクチュエータの特徴

油圧アクチュエータ	油圧ポンプを用いて、流体エネルギーを運動エネルギーに変換して動力を得る。小さな装置で大きな力を取り出すことができる
空圧アクチュエータ	圧縮空気を用いる。基本的には油圧が空圧に置き換わったもので、コスト性に優れている
電動アクチュエータ	モータなどを用いて、電気エネルギーを運動エネルギーに変換して動力を得る。高い制御性がある

動力源別のアクチュエータの比較

種類	電気	油圧	空圧	備考
応答性・速度	◎	○	△	スイッチを入れてから動き出すまでは圧倒的にモータが速いが、ロボットのアクチュエータとしては油圧や空気圧も対応できる部分は多い
パワー	○	◎	△	油圧の最大のメリットは強い力を出せることで、モータも小型高出力化が進んでいる
制御性	◎	○	△	システムのデジタル化によりモータは非常に正確な制御が可能になった。空気圧は流体の体積変化により精密な速度や位置の制御が苦手
メンテナンス性	◎	○	○	油圧式や空圧式はポンプ・コンプレッサ・配管などのバックアップ装置のメンテナンスが必要
サイズ	○	○	○	モータは出力を大きくしようとするとサイズも大きくなる。油圧式や空圧式は動作部を小さくできるが、バックアップ装置が必要になる
静音性	○	○	○	油圧式や空圧式はほぼ無音。モータも低速回転であれば静音性は高くなってきている
寿命	◎	○	△	現在のモータはどれも長寿命。空圧は油圧に比べると漏れが生じやすい

20 サーボモータとステッピングモータ

駆動技術2

ロボットを動かすアクチュエータとして、もっとも広く用いられているのがサーボモータとステッピングモータです。ただし、この2つは分類上の位置づけが少し異なるので注意してください。

最初にモータ（電動機）の整理をしておきましょう。分類の方法は複数あるのですが、一般的な方法としては供給される電源が交流（AC）か直流（DC）かによって大きく分けた後、AC駆動には代表的なものにインダクションモータ（誘導電動機：IM）とシンクロナスモータ（同期電動機：SM）が、DC駆動にはブラシ付、ブラシレス、ステッピングモータがあります（次ページ上図参照）。

サーボモータはこれらのうち、シンクロナスモータなどをサーボ機構によって自動制御するもので、それにより回転位置（角度）や速度を精密にコントロールできるのです。つまり、モータの電源や構造による分類ではなく「検出器付電動機」といった意味になり、検出用のセンサには前述したエンコーダなどが使われます。

一方、ステッピングモータはオンとオフを周期的に繰り返すパルス電流に同期して動作するので、検出器によるサーボ機構がなくてもインバータだけで制御が可能です（ただし、より精密な制御のためにサーボ化したものもあります）。

サーボモータは構造が複雑になる分、ステッピングモータに比べると大型であるうえ、価格も高くなります。しかし、より細かい制御が行えるのに加えて、高速回転時に高いトルク（回転力）を得やすいという特徴があるため、大きく動作させなければいけない部分には有効です。

したがって、精密な動きを望む場合にはサーボモータを使い、そこまでの性能を必要としない部分はステッピングモータにするといった使い分けにより、サイズやコストの最適化を図っていくのが開発手順の基本になっています。

要点BOX

- 検出器付きのサーボモータは制御が正確
- ステッピングモータはパルス電力で制御
- 求める性能によって使い分け

モータの分類

- モータ
  - ACモータ
    - インダクションモータ：回転磁界と誘導電流の相互作用で回転するモータ。大パワー化できるので自動車や新幹線などで使用される
    - シンクロナスモータ：AC電源の周波数に同期して回転するモータ。時計や情報機器などで使用される
  - DCモータ
    - ブラシモータ：ブラシ整流子という部品があり、その間で電流方向を切り替えることで回転するモータ。最も安価で玩具や家電製品などで使用される
    - ブラシレスモータ：回転子と固定子を接触させるブラシがない構造。高信頼性で高速回転が得意なモータである一方で高価
    - ステッピングモータ：パルス信号によってステップ動作するモータで断続的にパルス信号を供給することで回転するモータ

資料提供：東芝

サーボモータの構造

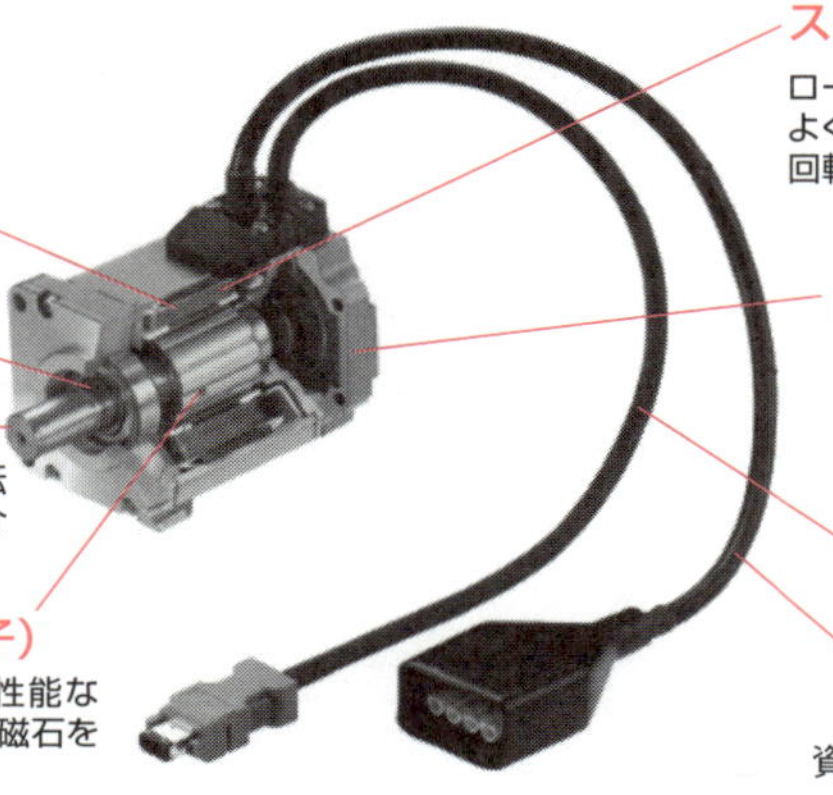
巻線
回転磁界をつくるために巻線に電流を流す
軸受
ボールベアリング
シャフト
モータ出力を伝達する部分。伝達機構（カップリングなど）を介して負荷を駆動する
ロータ（回転子）
シャフト外界に高性能な希土類などの永久磁石を配置している
ステーター（固定子）
ローターの位置により、効率よくトルクを発生できるように回転磁界をつくっている
エンコーダ
光学式エンコーダにより、シャフトの回転数と位置を常に見ている
エンコーダ用ケーブル
モータ用ケーブル

資料提供：オリエンタルモーター

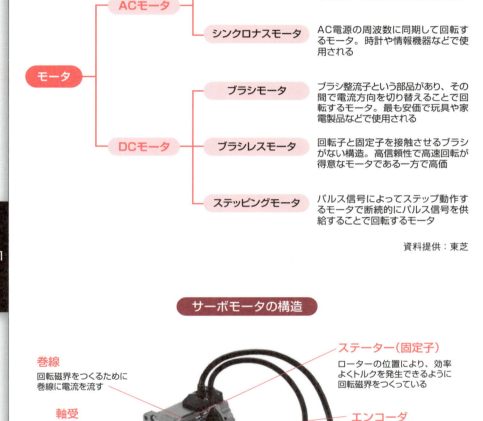

21 油圧と空圧の課題は正確な制御

油圧や空圧など流体の圧力を利用したアクチュエータには、直動型のシリンダと回転型のモータがあります。ただし、モータというと一般的には電動機を指すので、「油圧モータ」のように区別したほうがいいでしょう。なお、これらはポンプと基本的な構造は同じであり、圧力を発生させる場合はポンプ、動力の場合にはアクチュエータとなります。

電動式に比べたときの最大の強みは、小さな本体でも大きな力を出しやすい点にあります。わかりやすいのが歯科医の使うエアドリルで、口の中に入るサイズで硬い歯を削れるほどの回転力を生み出せるのは圧力式だからでしょう。また複雑な動力伝達機構に頼らず、力の大きさや動く距離（モータであれば回転数）を変えやすいのも、多様な動きをするロボットのアクチュエータとしては有利です。

逆に弱点は、油圧や空気圧を発生させ、送り込むためのポンプ（とそれを回す電気モータ）やバルブ、調整弁、配管などが必要になることです。そしてこのような長い経路を通るため、作動させるまでにどうしてもタイムラグが生じてしまいますし、空気圧の場合は圧力によって流体の体積が変わりやすいことから、正確な位置決めがしにくいという問題があります（体積変化が少ない油であっても配管部分の伸び縮みの影響を受けます）。このため、流体の挙動を事前に予測して補正プログラムを組んだり、途中の流量を監視することで修正を加えたりする方法で正確な制御を実現しようとしています。

最近では油圧と電動式を組み合わせたハイブリッド方式により、正確な制御と力強さを両立させようとしたロボットが開発されました。また、電動式や油圧式に比べると応用例の少ない空圧式でしたが、軽いことと、動きがきっちりしていない分、人にやさしいといった理由から、「着るロボット」に代表されるマッスルスーツなどの動力として重宝されています。

要点BOX

- ●圧力式アクチュエータは小さい本体で強力
- ●弱点は配管と位置決めなど制御の難しさ
- ●電動式とのハイブリッドで欠点を補う

油圧シリンダにおける増力の原理

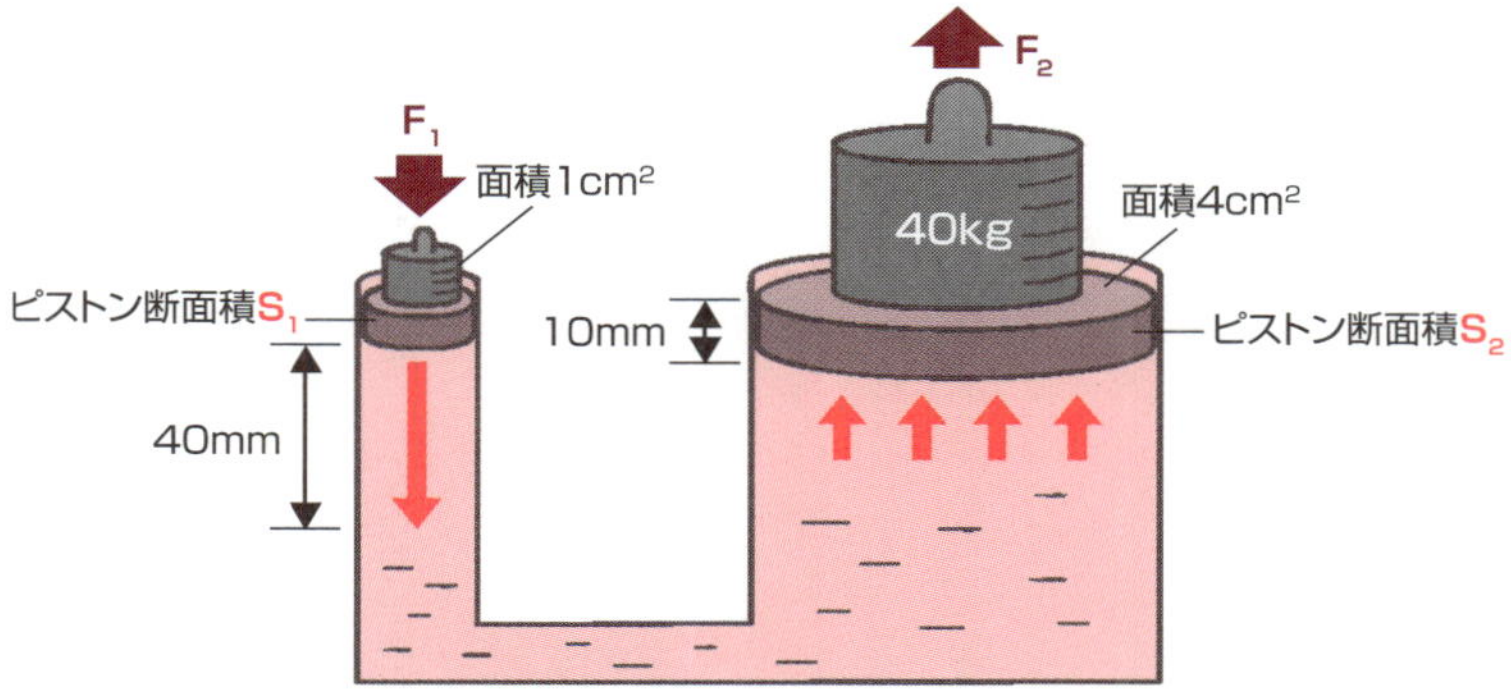

パスカルの原理によりピストンにかかる力は大きさに比例

油圧と電動式のハイブリッドロボット

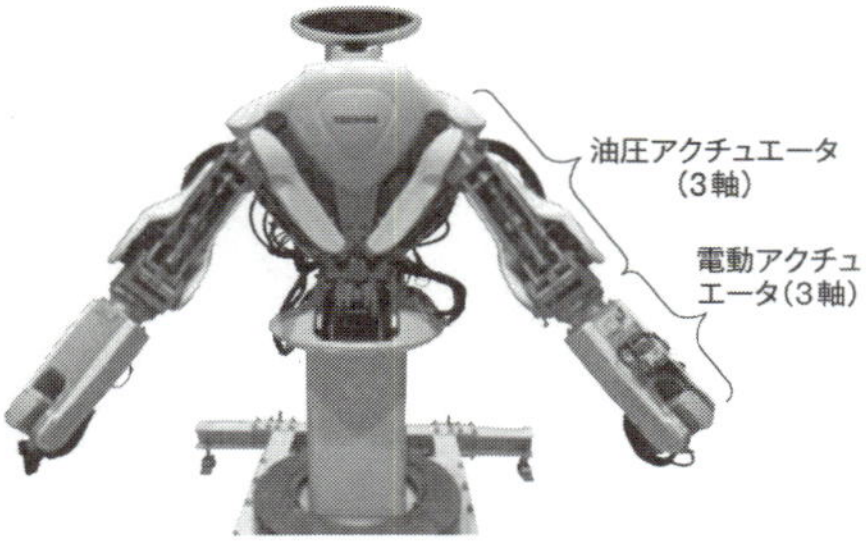

腰　：油圧アクチュエータ(1軸)
旋回：電動アクチュエータ(1軸)

資料提供：東芝

油圧シリンダの仕組み

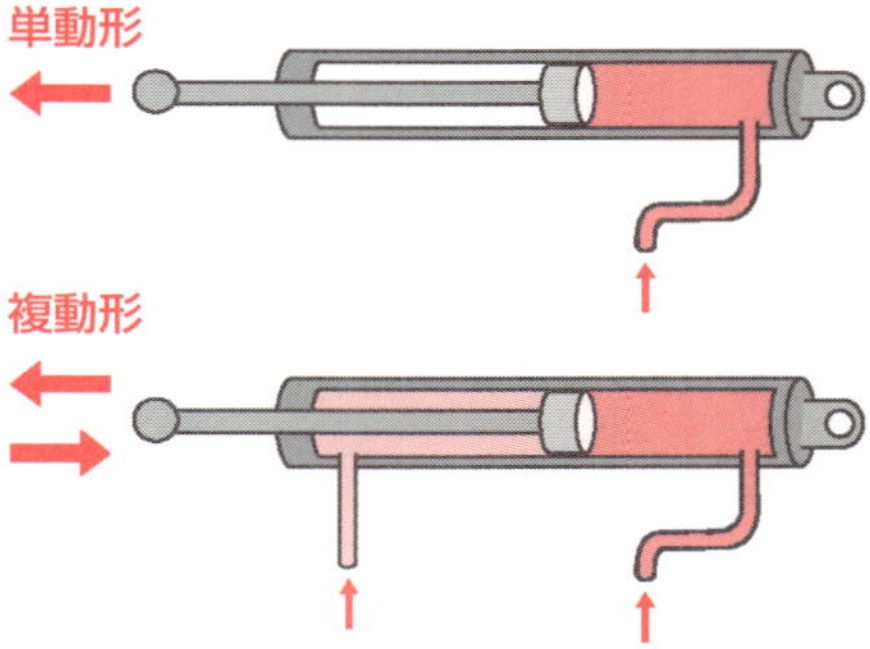

マッスルスーツを着用した様子

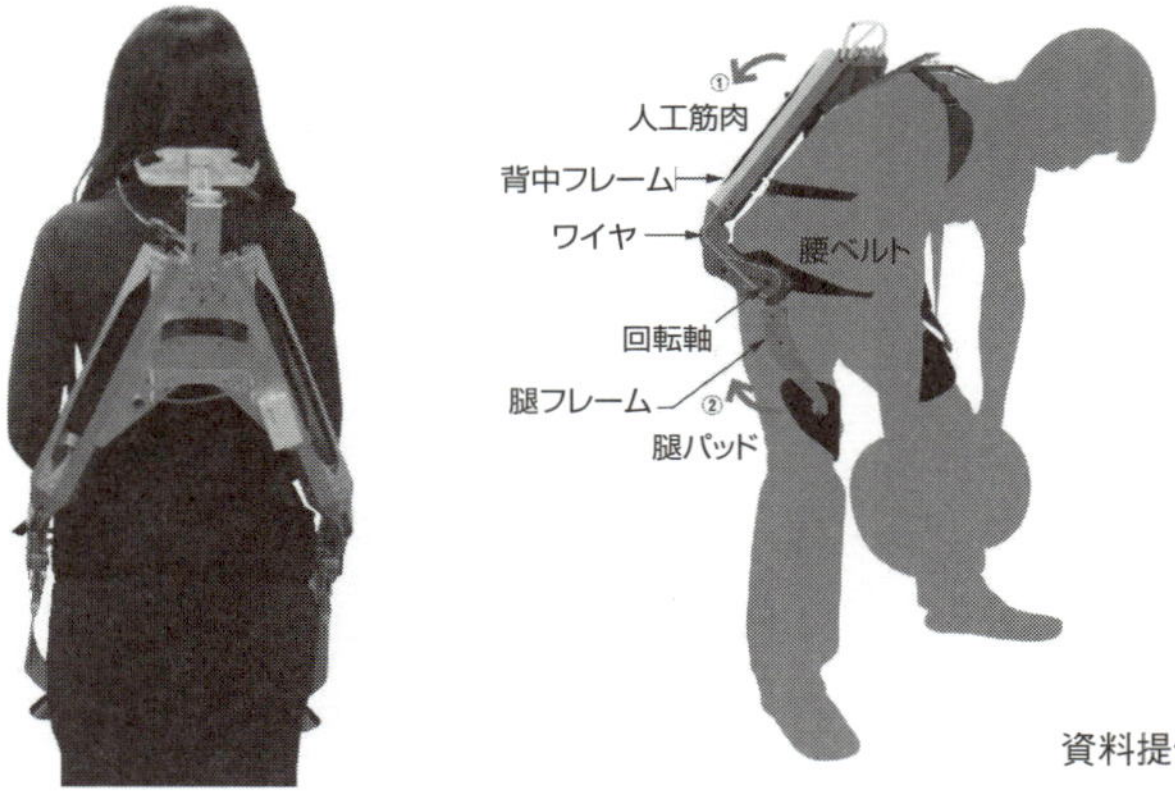

資料提供：イノフィス

22 開発が期待される次世代のアクチュエータ

今後、ロボットが活躍する領域を拡大するうえで、大きな課題の1つになってくるのが新しいアクチュエータの開発です。

ここでは、現在、研究されているもののいくつかを紹介しましょう。

【超音波モータ】

超音波振動を利用して回転または直動運動をさせるアクチュエータで、1980年代に発明されました。カメラレンズのAF制御に使われていることでもわかるように、従来型のモータに比べても高精度な位置決めができるうえ、現在の位置を無通電で保持できることから静止時の発熱が少なく、高効率化と高出力化が実現できればロボットへの応用が期待できます。

【人工筋肉】

筋肉組織を工学的に模倣する研究から開発が始まった人工筋肉ですが、単調な動きしかできないアクチュエータを複数組み合わせることで多様な動作ができることから、ロボットの駆動装置として注目を集めてきました。たとえば、形状記憶合金のメッシュを筒状にすることで、伸縮や自由な方向への曲げを可能にしたものもあります。

【マイクロアクチュエータ】

半導体製造プロセスに類似した微細加工技術で製造するMEMS（Micro Electro Mechanical System）のアクチュエータで、静電力や電磁力、圧電効果、熱ひずみなどさまざまな力を利用したものが考えられています。ミクロン単位のモータも可能で、将来、さまざまな用途が期待されるマイクロロボットの実現には不可欠です。

【磁性流体】

磁性をもつ特殊な流体をチューブに入れ、磁界をかけることで変形させて筋肉のように動かすアクチュエータが考案されています。イオン液体をベースにすることで、さらなる高機能化が可能です。

要点BOX

- ●新しいアクチュエータがロボットを変える
- ●超音波モータは関節制御に向いている
- ●半導体製造技術でミクロンサイズも実現

超音波モータの概念図

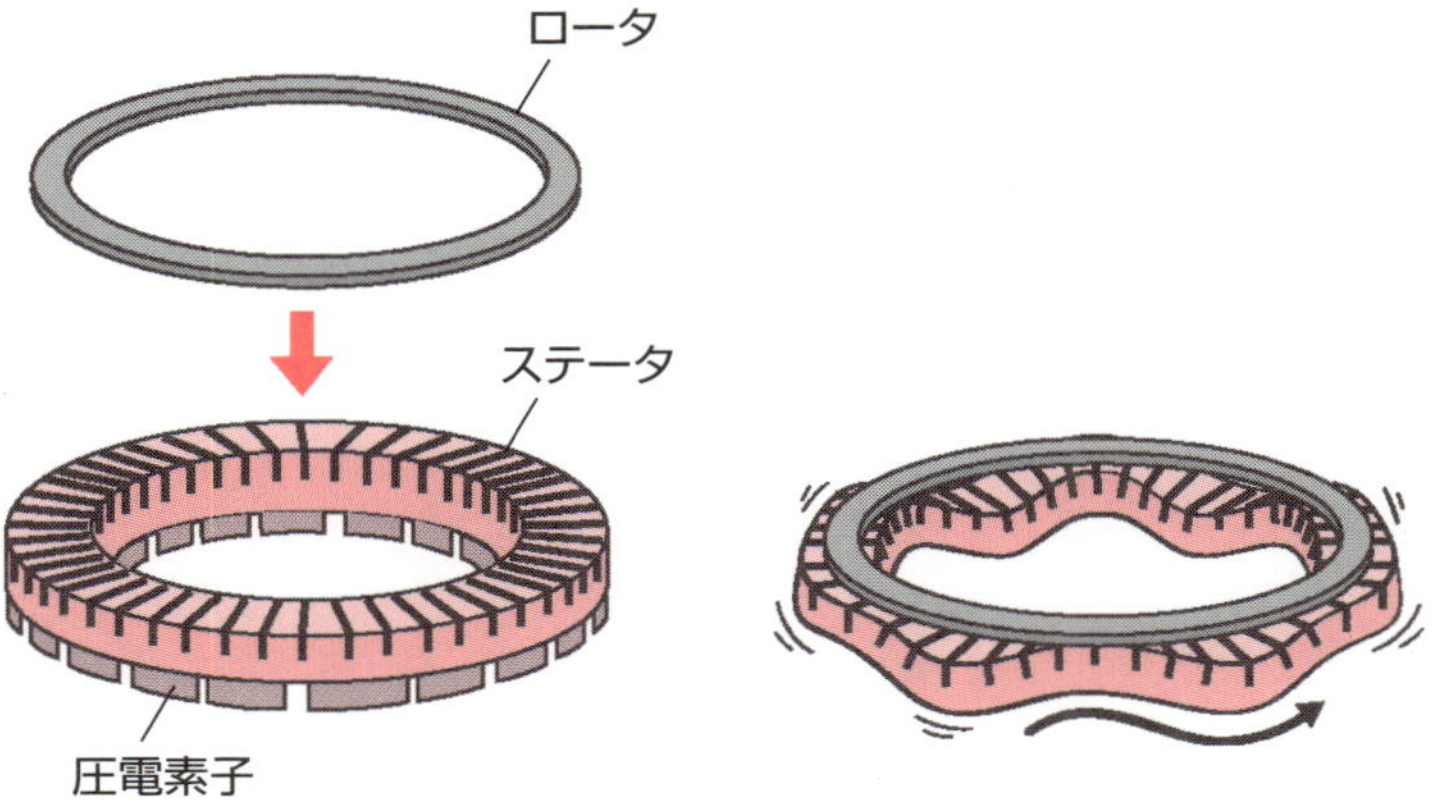

人工筋肉を搭載したアーム

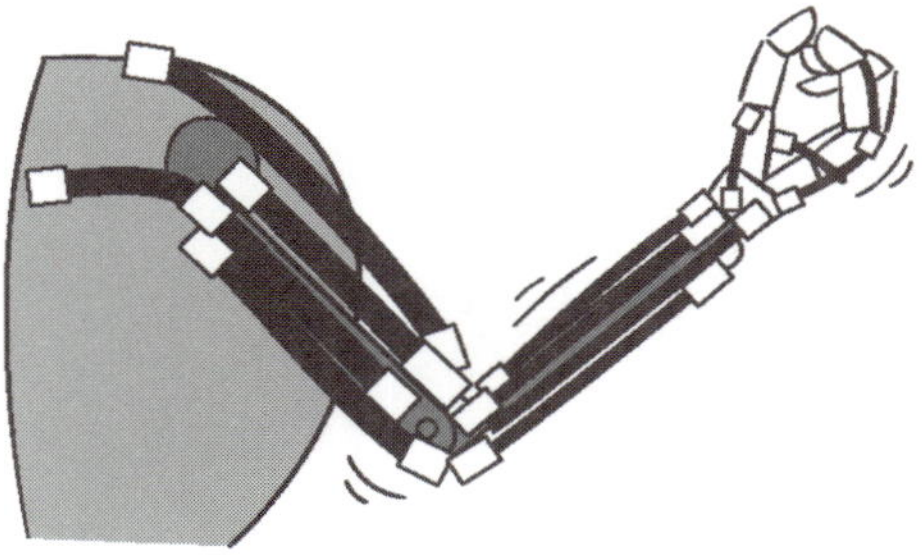

マイクロアクチュエータ

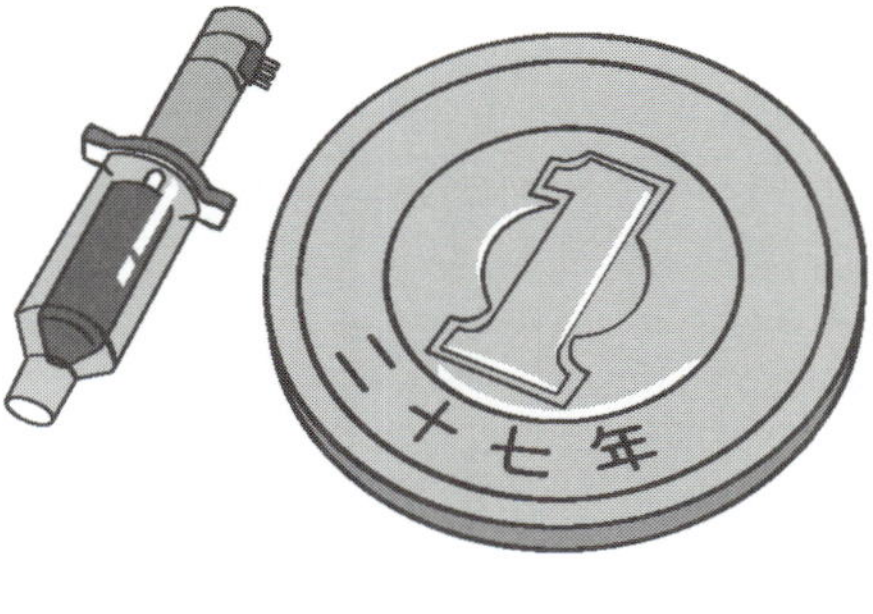

23 モータの回転数を落としトルクを高める減速機

電気モータは回転数を上げやすい一方、大きなトルクを得にくいアクチュエータです。ちなみに動力（≒消費電力）は「回転数×トルク」で計算されるため、それほど速く動く必要のないロボットでは減速機を用いて回転数を落とし、トルクに変換するという作業が必要になってきます。ロボットに使われる減速機には次のようなものがあります。

【平歯車減速機】

平行軸歯車減速機とも呼ばれ、円盤形の普通の歯車を組み合わせたものです。1段で減速できる比率があまり大きくないため、何段か組み合わせる必要があります。

【遊星歯車減速機】

外周歯車と内周歯車により自転と公転を組み合わせたもので、少ない段数でも大きな減速比が得られるという特徴があります。入力軸と出力軸が同軸になるのも設計上、有利です。

【ウォーム減速機】

ねじ歯車（ウォーム）と対応した、はすば歯車（ウォームホイール）を組み合わせたもので、入力軸と出力軸が直交しています。減速比が大きいものの（平歯車の10倍程度）、「出力節に適当な力を加えたとき、その節が可動し、かつそれが入力節側に伝わる性質」であるバックドライバビリティが皆無である点はロボットに不向きだといわれます。

【ハーモニックドライブ®】

楕円と真円の差動を利用した減速機で、同軸でしかも大きな減速ができることから多くのロボットに使用されています。特に二足歩行ロボットには欠かせない減速機となっています。

【ボールねじ】

減速機というより回転運動と直線運動の変換に有効な装置です。ねじ軸とナットの間にボールを入れて、軽く転動させるように工夫されています。

要点BOX

- トルクが必要なロボットに減速機は不可欠
- 減速比の高い遊星歯車とハーモニックドライブ®
- 回転と直動を変換できるボールねじも有効

遊星歯車の簡略図

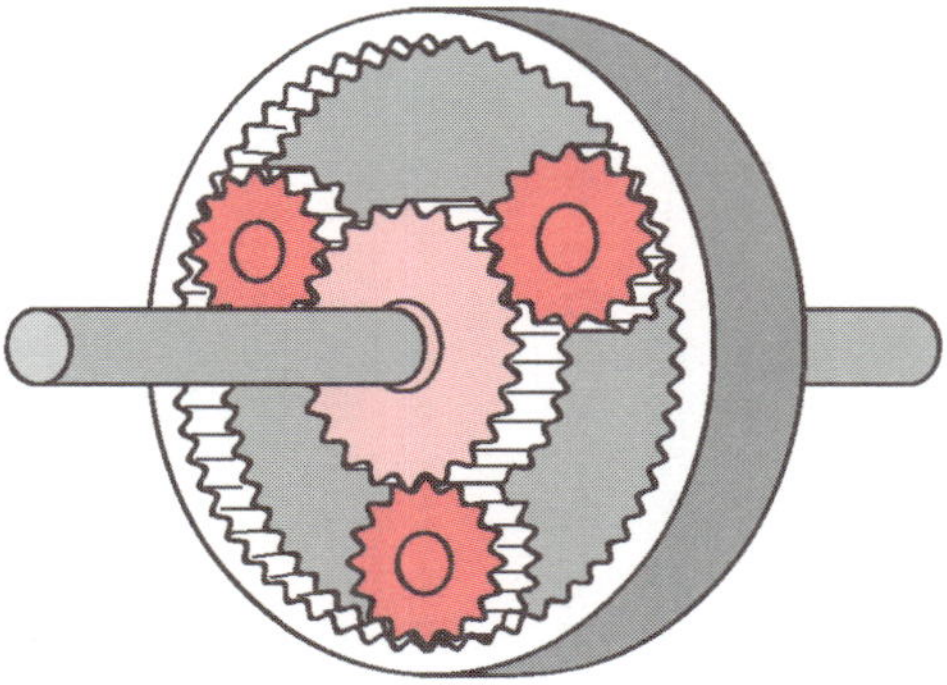

ハーモニックドライブ®

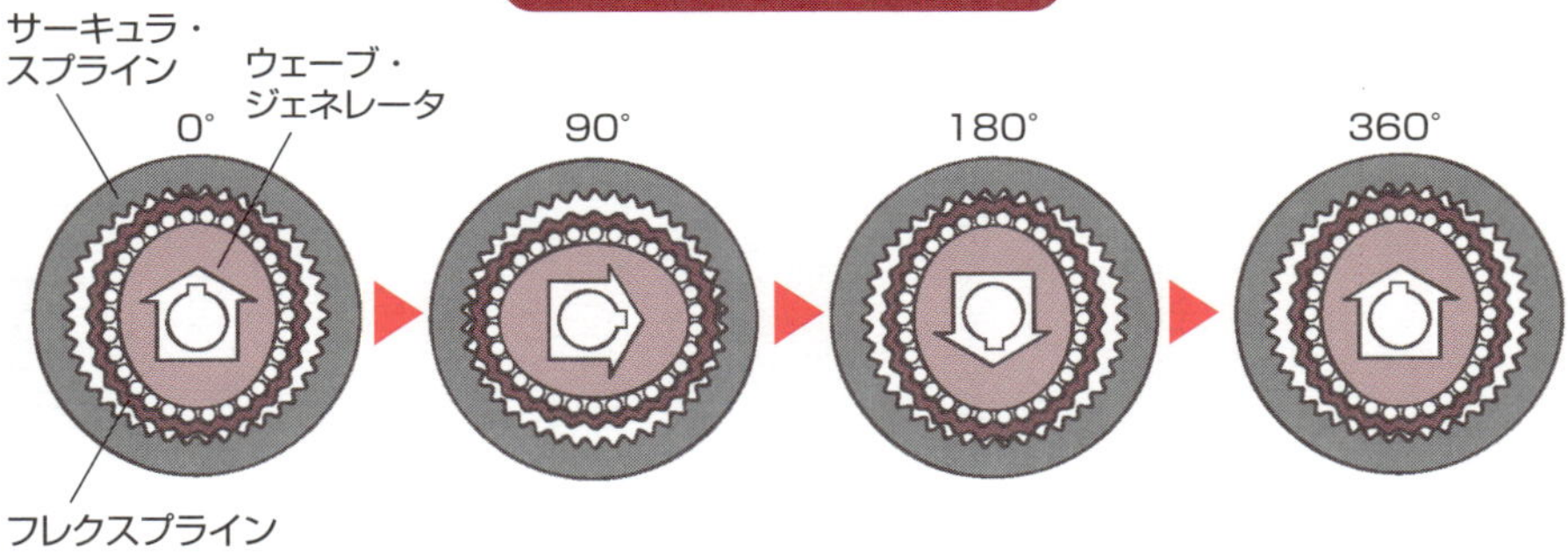

ハーモニックドライブ®は、ハーモニック・ドライブ・システムズ社の登録商標

出典：ハーモニック・ドライブ・システムズ社の資料をもとに作成

ボールリテーナ入り高速ボールねじＳＢＮ形の構造

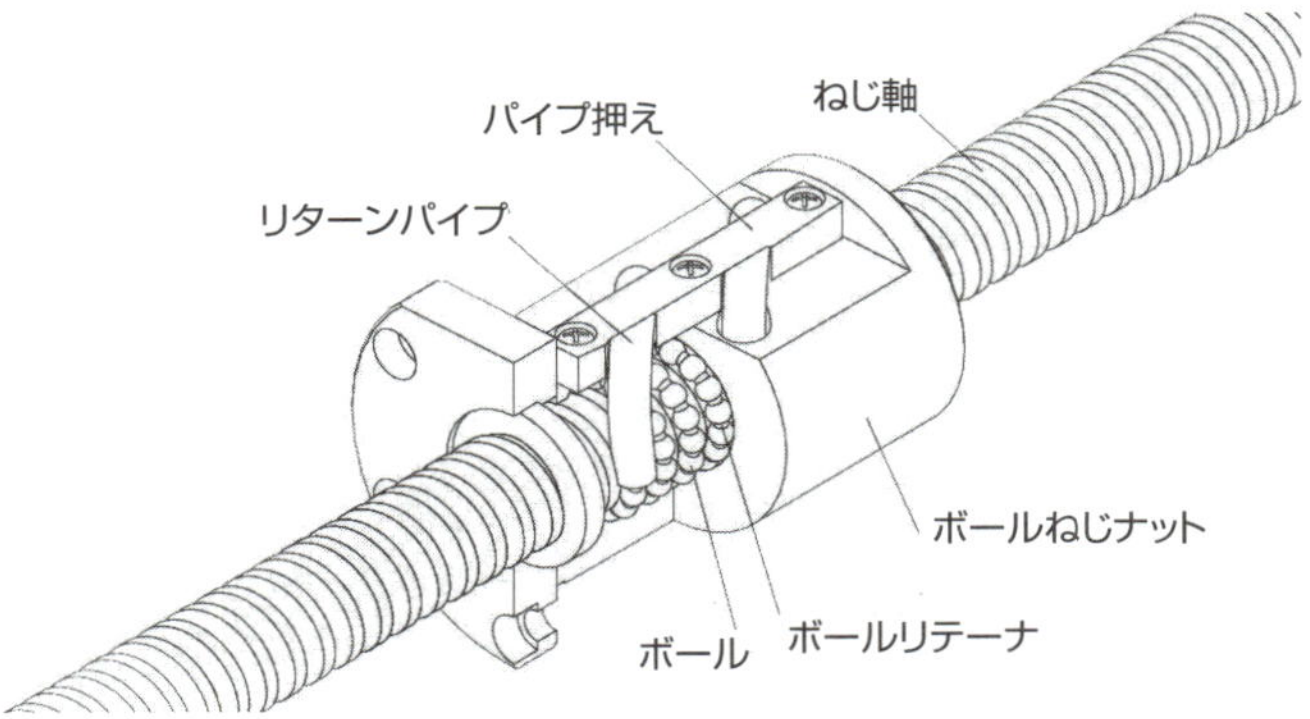

資料提供 :THK

24 車輪、クローラ、二足歩行、四足歩行、昆虫、蛇……

アニメやマンガに出てくる未来のロボットはほとんどが人間のように二足歩行をしますが、現実にはこのような移動機構をもったロボットはわずかです。産業用ロボットの多くは固定されているか、レールに沿って動くだけなので歩き回る必要はありませんし、移動が必要なサービスロボットであっても車輪式のものが大半だからです。

それでもさまざまな移動方法が研究・開発されているのは、ロボットの活動領域を広げるのに有効だからです。車輪式の場合は平らに整地されたところしか動けませんが、クローラ（キャタピラ）式、そして歩行式へとなっていくことで段差や斜面を乗り越えやすくなります。将来、ロボットがオフィスや家庭に出入りするようになれば、階段を昇り降りすることは必須となり、二足歩行への期待はそのようなところにもあるようです。

ところで、そんな二足歩行ロボットにも、人間の歩き方とまったく違う方法を採用しようとしているものがあります。それはトリ型（あるいは恐竜型）と呼ばれるモデルで、ダチョウなど走りが得意な鳥類のように前に曲がる第二関節が特徴です。

重心位置と股関節の位置が安定していることから足首を動かして姿勢制御をする必要がなく、ヒト型の二足歩行よりも省エネで高速走行が可能であると、今後の研究成果が期待されています。

四足や六足の多足歩行ロボットや体をくねらせながら進むヘビ型ロボットは不整地を安定して移動できるだけでなく、重心が高くなる二足歩行式に比べても狭いところに入っていけることから災害救助用のレスキューロボットとして開発が進んでいます。

移動機構を自由に設計できるのもロボットと生物の最大の違いなのですから、このような強みを活かし、新しいメカニズムを開発していくことでロボットの世界を広げていってほしいものです。

要点BOX

- ●新しい移動機構が活躍場所を広げる
- ●クローラや歩行式は車輪より不整地が得意
- ●ヘビ型はレスキューロボットとして期待

ロボットの移動機構(陸地用)

車輪	セグウェイのような並行二輪方式であれば方向変換もしやすく使い勝手はよい反面、不整地には向かない
クローラ	いわゆるキャタピラのこと。車輪より不整地の踏破力は高いが、重量が重くなり、電動式で長時間運転するのは難しいというデメリットがある
二足歩行(ヒト型)	もっともロボットらしく、人の生活圏で活動するには最適な方式として開発に期待が集まっているが、実用的なロボットでの採用例はほとんど見られない
二足歩行(トリ型)	ヒト型より高速走行に向き、消費エネルギーも少ないといわれるので、不整地で長く移動するロボットには向いているとされる
多足歩行	実験的に開発されたものでは哺乳類(四足)、昆虫(六足)、蜘蛛(八足)、多足類などを模したものがある
ヘビ型	狭いところを通り抜けられるのでレスキューや点検用に期待
吸盤型	壁や天井を自由に移動できるるので点検や補修作業用に期待できる。橋梁用の磁石式も検討されている

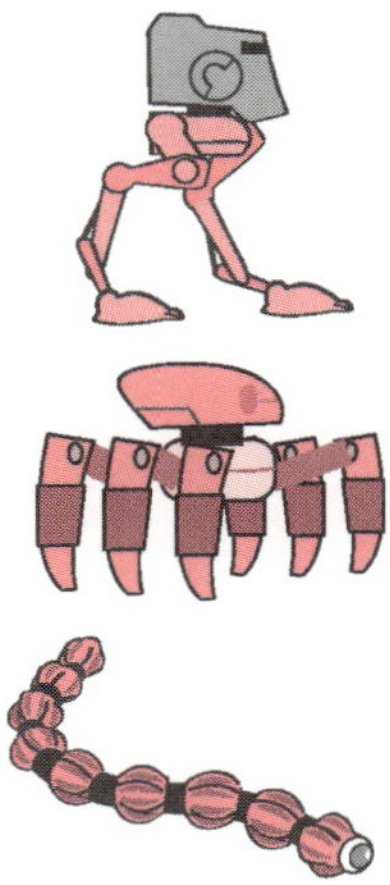

二足歩行の仕組み

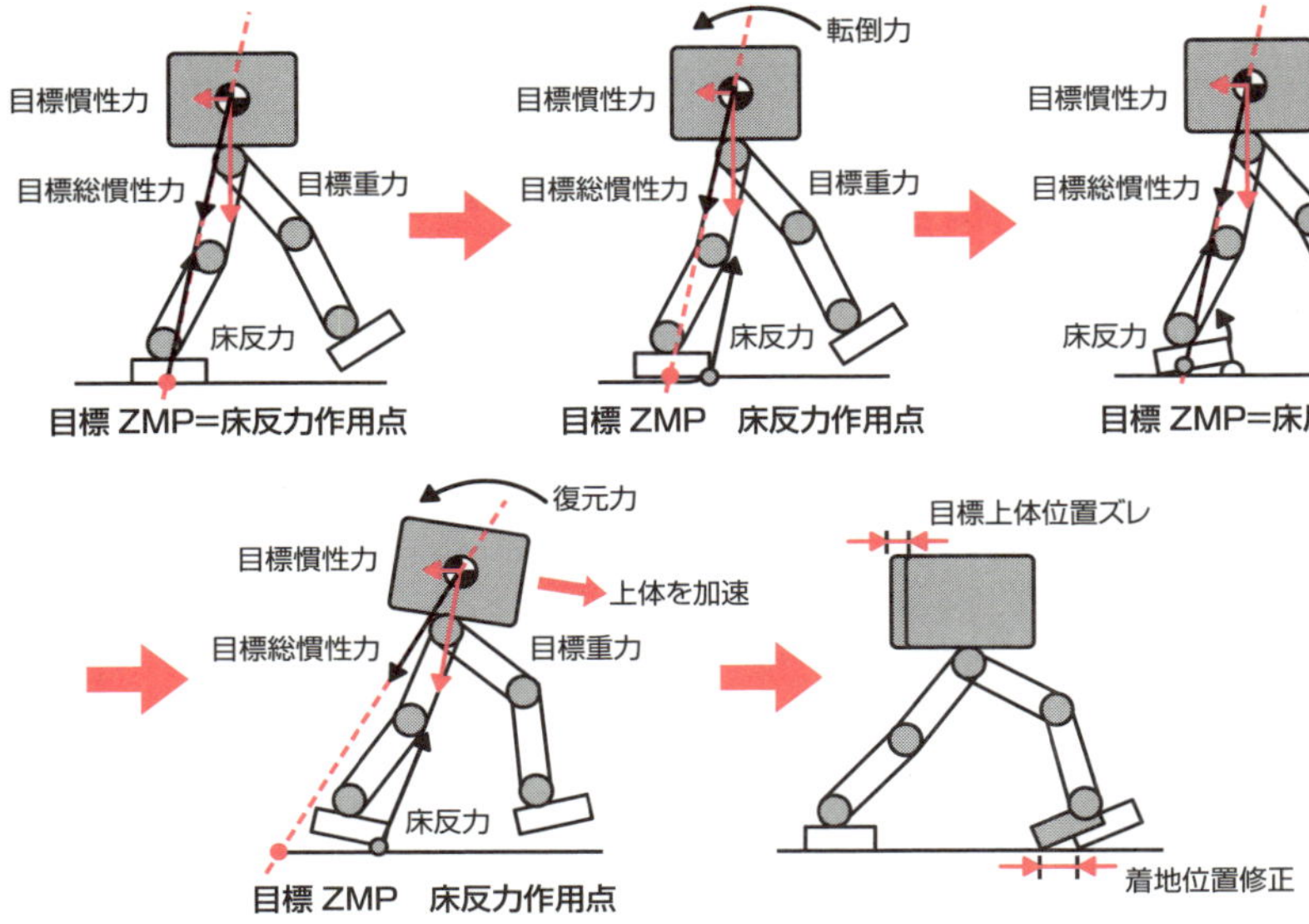

ホンダの二足歩行ロボットでは、床反力制御(床の凹凸を吸収しながら、足裏で踏ん張る制御)、目標 ZMP制御(足裏で踏ん張りきれないときに上体を倒れそうな向きに加速させ、姿勢を保つ制御)、着地位置制御(目標 ZMP制御によって生じた上体のズレを歩幅によって調整する制御)の3つの制御で安定した歩行を可能にする

* ZMP=Zero Moment Point、総慣性力(地球からの重力と歩行の加減速によって生じる慣性力の合力)のモーメントが0となる点

出典:ホンダ

25 強くて軽く、人にやさしいロボット材料とは？

産業用ロボットの場合、精度の高さが求められることから主要部分は鋼板などでつくるのが一般的でした。しかし、最近では軽量化を目的にアルミ系の材料を併用するケースが増えています。さらに、自動車などで多用されているエンジニアリングプラスチックをロボットの構造材にも使おうという研究も進められており、化学会社も新たな市場開拓に力を入れているようです。

一方、サービスロボット、なかでも人と直接触れ合う医療や生活支援用のロボットであれば、できるだけ軽いほうがいいのは産業用ロボットと同じです。加えて、柔らかさや温もりを感じてもらう必要があることから、プラスチックやゴムなどによるスキン素材の開発が行われています。

非金属ロボット材料の活用例として非常にユニークなのが、立命館大学理工学部ロボティクス学科の運動知能研究室で開発を続けている超軽量ロボットアームです。材料にポリエチレンやポリプロピレンを用いるだけでなく、風船のように内部の気体で膨らませるのにインフレータブル構造を採用することで柔軟化、軽量化、大型化、コンパクト化を同時に実現してきました。

プラスチック製のロボットは金属のものに比べて低価格にできるだけでなく、電磁場への影響が少ないことからＭＲＩとの併用が考えられているほか、「洗浄が容易」といったメリットを活かして食品工場への導入も検討されています。つまり、材料を変えることでロボットの用途も拡大していくのです。

そういえば、鉄腕アトムは金属製の骨格をもつものの、表面はプラスチック製の人工皮膚で覆われていました。ほとんどのロボットアニメでは見た目も鉄でできたものが多かったなかで、この設定は斬新であり、人と共存するロボットのあるべき姿を提示できたのは、やはり作者の手塚治虫が人体に詳しい医師だったからでしょうか。

要点BOX

●鋼板をアルミ系材料にすることで軽量化
●今後はプラスチック素材への代替も
●人と協業するロボットは肌触りも大事

ロボットに使われる主な材料

金属	鉄系	鋼	鋼は圧縮・曲げ・引張のすべてに強く構造材としてはベストだが、重量（比重）はアルミの約3倍
		ステンレス	腐食に強いが高価で加工しにくい
	アルミ系	アルミ合金	アルミは柔らかく加工しやすいが強度に劣るため合金にして適度な性質のものを選ぶ
		ジュラルミン	アルミ合金の中では最強だが、加工しにくい
	銅系	真鍮	適度な強度と加工のしやすさから実験用ロボットでは一部に使われる
	その他	チタン合金	引張強度は鋼並みで重さは6割以下だが高価で加工しにくい
プラスチック	一般	ABS	剛性、硬度、加工性、耐衝撃性など機械的特性にすぐれ、プラスチック材料ではもっともロボットに向く
		アクリル	透明で耐衝撃性にすぐれていることからアマチュアのロボット開発では多用される。割れやすいという欠点も
		塩化ビニール	もっとも一般的な樹脂で入手もしやすいためアマチュアのロボット工作にはよく使われる
		ポリスチレン	プラモデルの材料なので、アマチュア用や実験用などに用いられる
	特殊	FRP	繊維強化プラスチックで、カーボン繊維入りのものは航空機にも使われる。加工しにくいのが難点
		エンジニアリングプラスチック	ポリアセタール（POM）、ポリカーボネート（PC）、ポリアミドなどは、今後、ロボットへの応用が期待される

※その他、ベニヤなどの木材は入手や加工がしやすいことから、アマチュアのロボット工作ではよく用いられる

プラスチック材料を用いた超軽量ロボットアーム

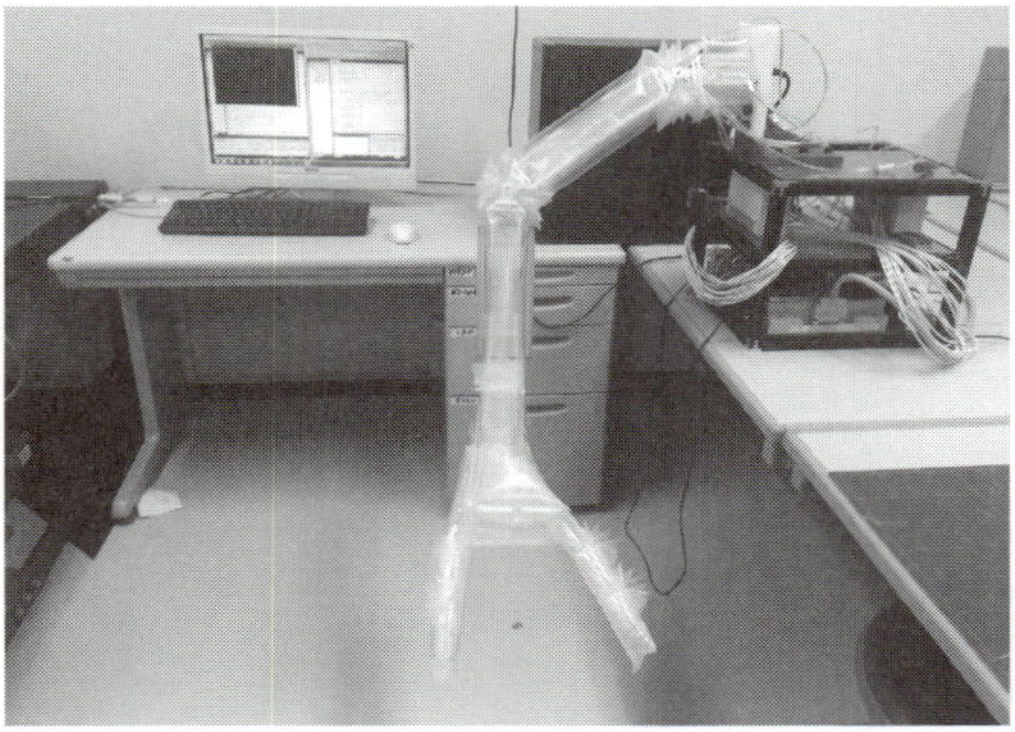

インフレータブルロボットアーム

ポリエチレンやポリプロピレンなどの材料を使用
自重約500g
最大可搬重量 1000g

資料提供：立命館大学理工学部ロボティクス学科 川村貞夫研究室

26 ロボットの意外なアキレスの腱、電源

人のように二足で歩くヒューマノイドロボットを実現したいと考えたとき、歩行システム以上に大きな課題となるのが電力の確保です。産業用ロボットは多くが固定式なので外部の電源が使えますし、移動する場合でも車輪式であれば大きなバッテリーを積むことができます。しかし、二足歩行ロボットでは重量バランスが機能に関わってくるため、あまり大きな電源は搭載できないのです。

ホンダが1980年代半ばから続けてきた二足歩行システムの研究事例を見ると、その苦労の足跡がわかります。

2代目のP2で初めて電池を搭載したものの、ニッケル亜鉛電池という使い捨てのものであったうえ、ロボット全体の重量が210キログラムもあったのに連続稼動時間はわずか15分ほどでした。その後も電源の開発を進め、2000年の初代ASIMOでは充電式のニッケル水素電池を搭載、30分の稼動時間を実現しています。そして最終モデルの3代目ASIMOでは高性能リチウムイオン二次電池により重量は48キログラムと、かなりすっきりしたものの、残念ながら稼動時間は40分が限界です。

つまり、電源を電池に頼っている限り、「人並みの大きさで24時間働ける」といったロボットを実現するのは難しいのですから、何か他の方法を考えなければいけません（1時間おきに充電しなければいけないロボットなんか普及しないでしょう）。

そこで、もっとも有望な方法として考えられているのがワイヤレス給電です。ただし、スマートフォンなどで採用されている電磁誘導方式では、ほぼ接触している必要があるので、数メートル離れたところからも給電できる電波受電方式の実用化が条件になるでしょう。ロボットの行動範囲にマイクロ波などで電力を送ることができれば、大きなバッテリーを積む必要がありませんし、充電しながら動かすことができます。

要点BOX

- ●コンセントを使えるのは固定式ロボットだけ
- ●ASIMOが直面した移動式ロボットの電源問題
- ●電波受電方式のワイヤレス給電に期待

ホンダのロボットにおける電源の進歩

モデル	開発年	重量（kg）	電源	備考
P1	1993	175	外部電源	制御装置も外部
P2	1996	210	ニッケル亜鉛電池	背部に電源を内蔵
P3	1998	130	ニッケル亜鉛電池	背部に電源を内蔵
P4	2000	80	ニッケル亜鉛電池	背部に電源を内蔵
ASIMO（初代）	2000	52	ニッケル亜鉛電池	稼動時間 30 分
ASIMO（2代目）	2004	54	リチウムイオン電池	稼動時間 40 分〜1時間
ASIMO（3代目）	2011	48	リチウムイオン電池	歩行時間 40 分

資料提供：ホンダ

ワイヤレス給電

マイクロ波でのワイヤレス給電システムを搭載したドローン
（エンルートと日本電業工作の共同開発）

磁界共振方法を採用したワイヤレス給電多関節ロボット
（日本航空電子工業と長野日本無線の共同開発）

ワイヤレス給電には主に3つの方式があり、それぞれ伝送距離が異なる。このうち、電磁誘導方式はほぼ接触状態でないと伝送できず、電磁界共鳴方式も1メートルが限界で、ロボットをステーションに戻して頻繁に充電するかたちとなる。最適なのは電流をマイクロ波などの電磁波に変換し、アンテナを介して送受信する電波方式だが、大電力化と高効率化に課題が残っており、これからの技術開発が期待される

27 ロボットにおける技術のトレードオフとは？

全体最適化

デジタルカメラは今でも進歩を続けていて、静止画であれば画素数は億単位に届きつつありますし、「3300万画素で毎秒60フレーム以上」の8K高精細映像が撮影できるビデオカメラも個人で買えるようになってきました。したがって、もしこれらを視覚センサにすれば、最高の眼をもったロボットが生まれるでしょう。

しかし、実際のロボットにそこまで高度なカメラを搭載するケースは、まずありません。なぜなら、ボディの大きさや使える電気容量などによって情報処理能力が限られるため、センサから取り込むデータは、「設計上の機能を実現できる最小限の量」に抑えたいからです。たとえば、人並みの速度で移動しながら障害物を避けるといった程度の性能であれば、「数百画素毎秒2フレーム」程度の白黒画像でも十分なのです。

これは生物も同じで、人の視覚は画素数に換算すると6億近くあるそうですが、本当によく見えているのは中心部だけで外周部は形も色もアバウトにしか識別できません。しかし、そうやって脳への負担を減らす最適化が進化の過程でなされたのです。

ロボットに必要な3要素の技術は、それぞれがトレードオフの関係にあります。センサを最大限に活かせば知能・制御系の負担が増え、その結果、電力消費も増えて駆動できる時間が短くなるのです。したがって、要素ごとの部分最適ではなく統合システムとしての全体最適が優先されます。

ロボットを完成させるまでに必要な技術は他にもあります。たとえば材料の加工技術やパーツを取り付ける実装技術、人とのコミュニケーションを円滑に行うためのヒューマン・インターフェース技術など、枚挙にいとまがありません。そしてこれらも含め、リソースを分配して最適化を図るようなプロジェクトマネジメント的な発想こそが、ロボット開発でもっとも大切な技術なのです。

要点BOX

- ●ロボットの視覚では情報量削減がポイント
- ●技術の部分最適よりシステムの全体最適
- ●製作やプロジェクト進行の技術も不可欠

さまざまな認識技術

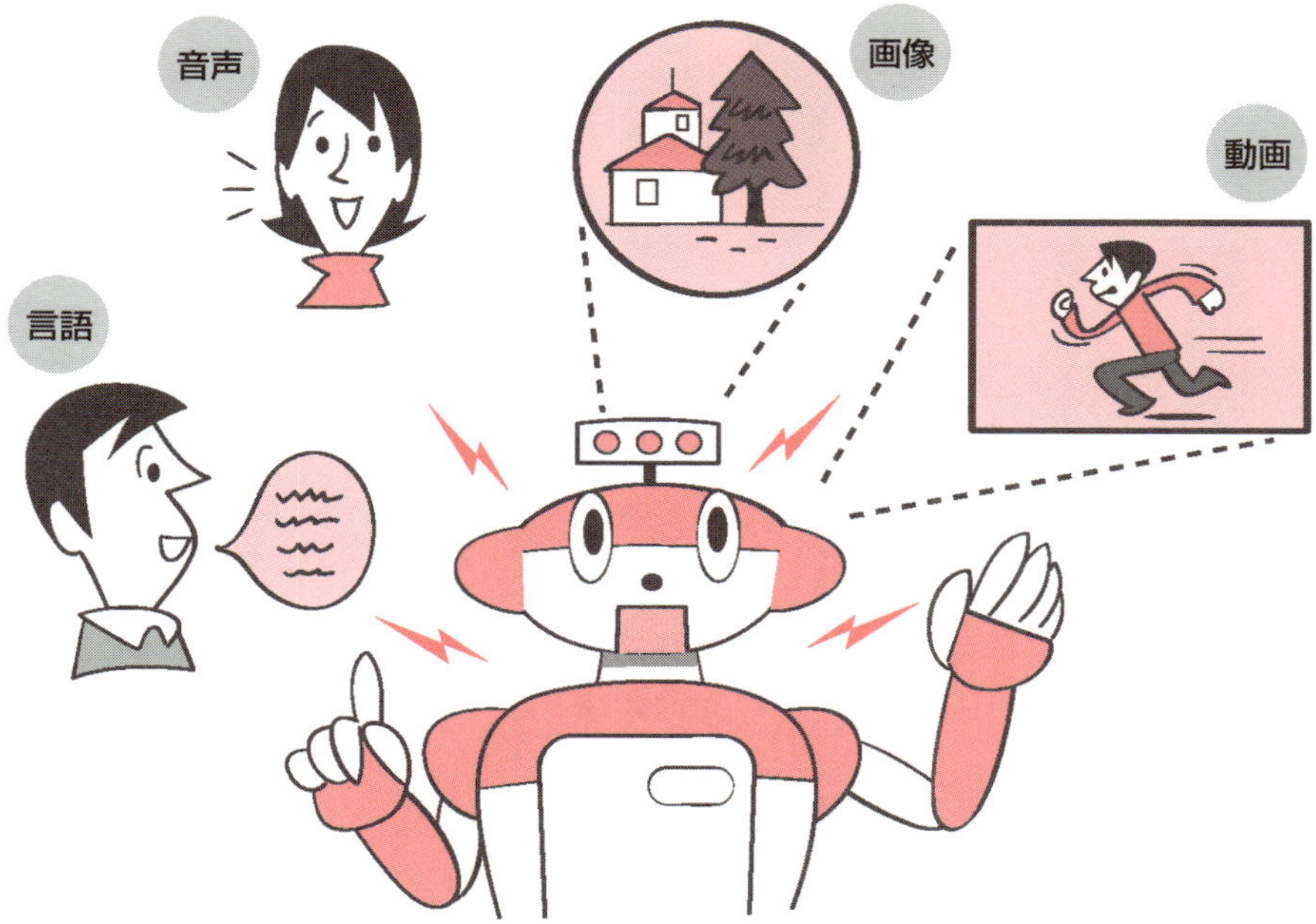

これからのロボット開発は、より多くの職種や業種の人が関わるようになる

28 「ロボット大国」日本の強みと弱み

日本は産業用ロボットの生産で世界の約5割を占めていることでもわかるように、総合的な技術力ではトップクラスです。しかし、それぞれの要素技術ごとに国際比較した場合、米国や欧州に負けている分野があるのは確かであり、今後は強い分野をさらに伸ばすとともに、弱点の解消が重要な課題になってくるでしょう。

まず強い分野では移動技術が挙げられます。二足歩行ロボットでは早くから研究が進んでいましたし、自動車メーカーの多くが未来のモビリティ機器に関する研究を常にしてきたことも背景にあるようです。同様にカメラを中心とした画像処理システムで世界を席巻していることから、センサ技術や視覚認識技術は非常に進んでいます。

一方、シミュレーションやヒューマンインターフェース、ネットワーク、ソフトウェアなどコンピュータシステムの利用技術においては欧米に強い企業や研究機関が多く、後塵を拝しているのは事実です。全体的に見て「ハードウェアの日本、ソフトウェアの欧米」といった図式は他の工業製品とも共通した傾向なのかもしれません。

日本の産業用ロボットは実用的な製品を数多く生み出してビジネスを成功させてきたものの、多目的のサービスロボットの分野では個々の技術にこだわりすぎ、目標を見失っているとの指摘があります。これに対して欧米、特にアメリカではターゲットとする産業を明確にし（医療や原子力、軍事など）、ビジネスの成功を第一に考えてロボット開発を進めるという点が日本と大きく違う点です。

高度な自律性をもち、完全な二足歩行ができるロボットが完成すれば素敵なことですが、そのような夢と市場のニーズとのギャップをどう埋め、現実的な解を求めていくのか、このあたりが次に来るサービスロボット競争に日本が勝つためのポイントなのかもしれません。

要点BOX

- ●日本が強いのは移動やセンサの技術
- ●システム技術で先行する欧米
- ●ロマンからビジネスへの発想の転換を

ロボットの構成要素と日本の強み

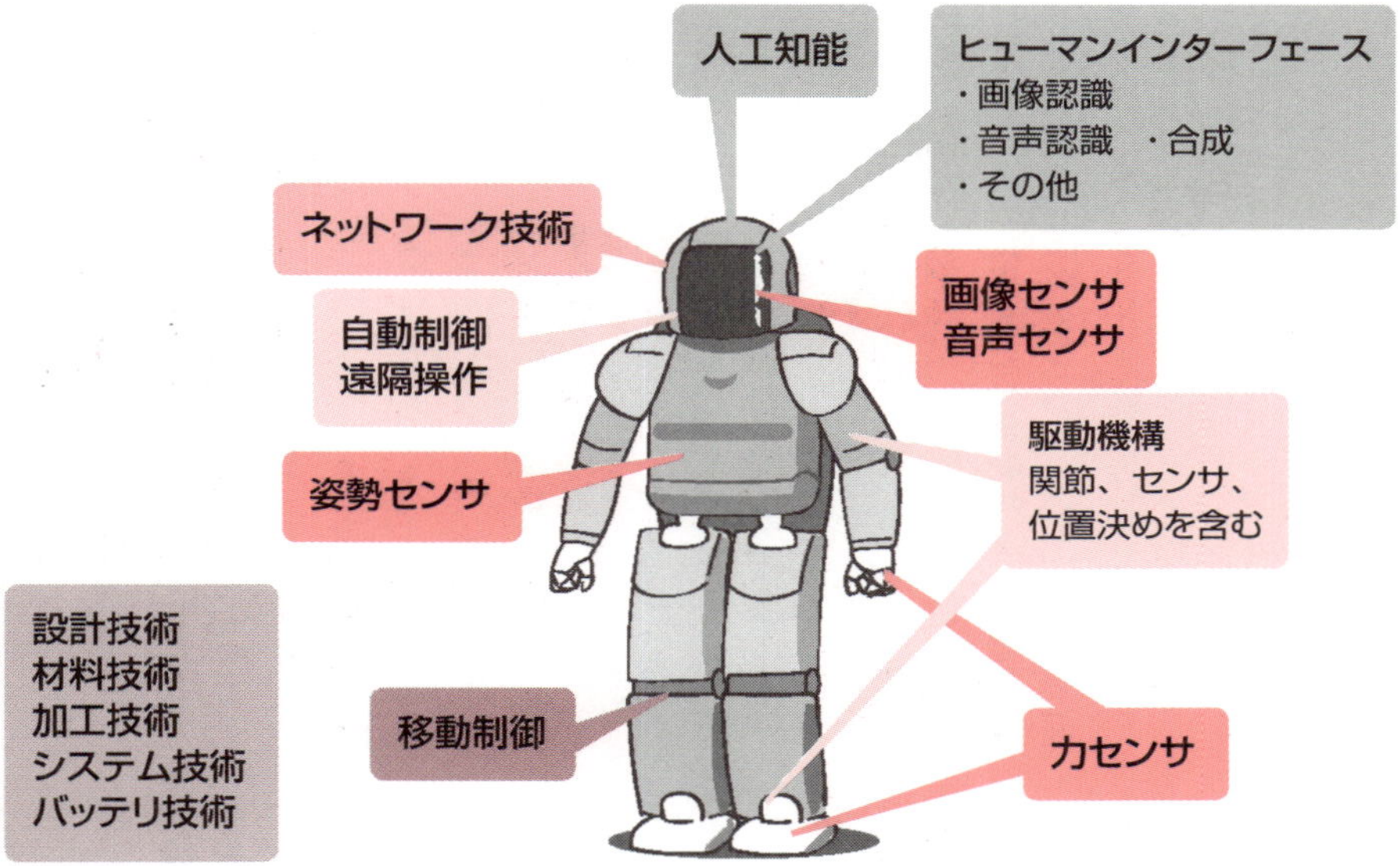

出典 :「ロボット技術の現状と将来について」(内閣府)

中長期的技術課題への対応

国内需要よりも海外需要が拡大する中、国際競争力を強化していく上でいかに国内でキープロダクツを育て、システムインテグレート能力を強化していくかが重要

プレイヤーが急拡大する中、早い段階で産業界が協調すべき領域を特定し、大学における基礎研究を活用しつつ、産学連携により基礎・応用研究を実施するための体制整備が必要

AIなど新技術の取り込みが重要となりつつある中、大学が有するシーズを企業が有効活用できるよう、産業界に対して橋渡しする機能が不可欠

出所:「ロボットを取り巻く環境変化と今後の施策の方向性」、ロボットによる社会変革推進会議

Column

コンピュータからIT、ロボットからRT

　コンピュータに関連する技術全般を、今ではＩＴ（Information Technology）と呼びます。これは、情報システムが人々の生活やビジネスのあらゆるところに及び、もはや「コンピュータ技術」といったカテゴリーが意味をなさなくなってきたからです。そしてロボットでも同じような現象が起きると予測されています。

　ロボットはセンサや知能・制御、駆動・構造などの統合システムですが、これらの技術はロボット特有のものとして発展するとともに、ロボット産業以外への展開が期待できます。たとえば家電品や自動車をより自動化させたり、自律性をもった情報システムを出現させたりするような未来が考えられるでしょう。

　その結果、ロボット産業の周囲にはＲＴ（Robot Technology）産業と呼ぶべき新しいビジネスが創出されるだけでなく、コンピュータ技術が人々の生活やビジネスに欠かせなくなったようにＲＴも日常を大きく変えるのです。

　ＲＴ製品としては次のようなものが考えられています。

【ＲＴ家電】

　掃除ロボットはかなり一般化してきた商品ですが、将来的には他の家電品に部屋を掃除する機能を付けたり、住宅そのものに自動掃除システムを付加するといったことも考えられます。

【教育用ＲＴシステム】

　ネットワークを介した現在のコンピュータ学習システムは、個々人の習得状況や知識ニーズにきめ細かく応えることはできません。ここにＲＴを活用すれば、ロボット先生による教育が可能になります。

【ＲＴ建設機械】

　ブルドーザや油圧ショベル、クレーンなどは自動化が進んでいますが、ＲＴの導入で自律性まで発揮でき、省人化に役立ちます。

　産業用ロボットは大企業ユーザーが中心の大規模市場で販売されるのに対し、第二段階のサービスロボット、第三段階のＲＴ製品へと広がっていくことで多様な企業や個人ユーザーまで参加する中小規模市場型のビジネスが可能になります。そのとき、本当にロボットの時代が来たといえるのかもしれません。

第3章

ものづくりを支える産業用ロボット

29 自動車から電機、化学、食品まで広い業種で活躍

産業用ロボットの利用分野

国内市場向けの産業用ロボットの業種別出荷台数は、電気機械が約36パーセント、自動車が約29パーセントと、この２業種が非常に大きな割合を占めています。しかし、これらに続いて機械、金属製品、プラスチック、食料品、その他の製造業においても需要は伸びていることから、ロボットの導入はかなり広範囲に及んでいることがわかります。一方、世界市場に目を向けると、産業用ロボットの主要ユーザーは自動車と電気・電子機器の両分野に集中しており、日本に比べると業種別の偏りが大きいようです。

この違いは、ロボット普及の歴史を反映しています。前述したように、産業用ロボットの実用化が始まるのは１９７０年代からです。当初、その動きは自動車産業に限定されていました。車体のスポット溶接用に開発されたロボットが生産ラインに並び、やがてアーク溶接や塗装へと自動化の波は広がっていきます。

１９８０年代、ロボットに大きな技術革新が起きます。サーボモータとマイクロプロセッサを組み合わせた電動アクチュエータ方式の登場により著しく精度が向上し、組立や搬送など多様な工程にもロボットが進出していきました。すると、自動車だけでなく機械や電子・電気機器の生産にも導入できないかといった発想が生まれ、急激に普及が進んでいったのです。

さらに１９９０年代のバブル経済崩壊以降、あらゆる製造業が多様な生産方式を模索するようになると、さまざまな用途に対応して開発された各種のロボットが他業種にも進出していきました。そして２０００年代以降、ロボットは製造業のあらゆる分野で当然のように見られるようになっていくのです。

日本は産業用ロボットの利用においても世界のトップにあり、「自動車から多業種へ」という活用範囲の拡大を世界の先頭に立って進めてきました。その結果が現在の業種別出荷台数に現れており、今後、国外市場も同じ傾向になっていくものと思われます。

要点BOX

- 多様な製造業でロボット導入が続く日本
- 世界では、まだ自動車と電機が主要ユーザー
- 今後は海外も日本の動向を追うはず

ロボットの国内向け主要業種比率（2020年）

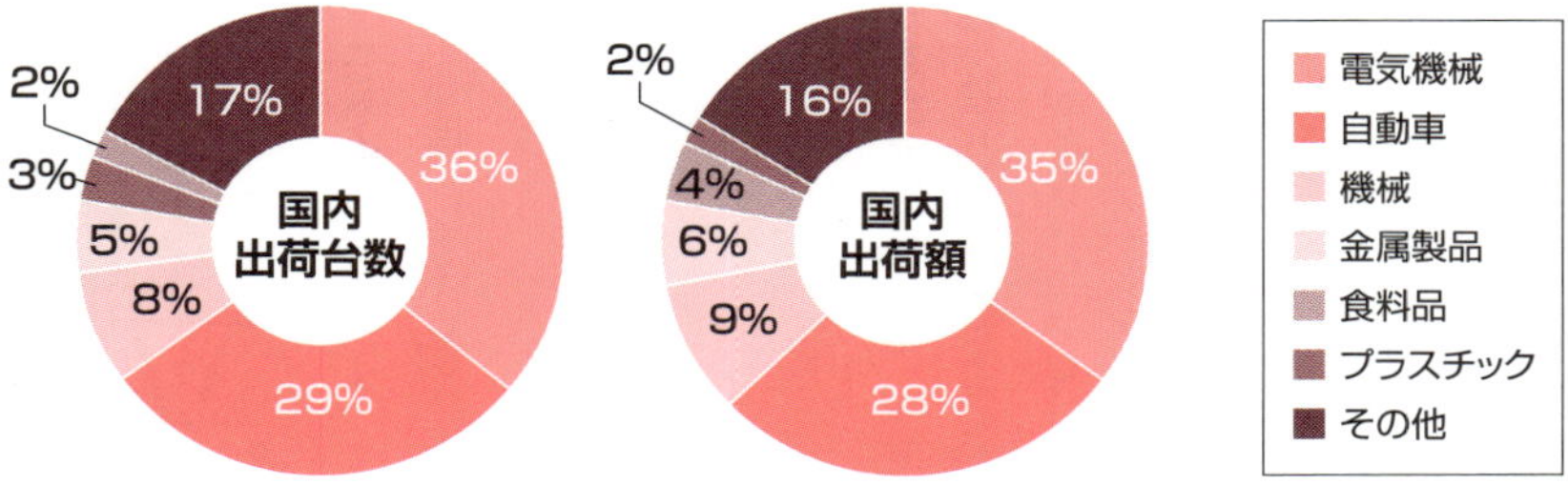

出典 :日本ロボット工業会調べ

産業用ロボットの普及と利用領域の拡大

（実線枠）できごと
（点線枠）技術動向

黎明期（1970 年代）
自動車工場で車体工程のスポット溶接用に油圧式ロボットの導入が始まる。約100社がロボット事業に参入し、第1次ロボットブームが起きる

↓ アクチュエータが油圧式から「サーボモータ+マイクロプロセッサ」による電気式（電動式）に変わり、一気に高性能化が進む

普及期（1980 年代）
アーク溶接や塗装工程にもロボットの導入が始まり、多くのロボットが並ぶ風景は自動車工場では当たり前になる（人間との分離）

↓ マイコンの小型高性能化、CCDなど半導体画像センサの登場などによりロボットの動きは多様化、高度化していく

発展期（1990 年代）
多様な作業が可能になってきたことでロボットは電機産業などにも普及。大量生産方式から多種変量生産方式への移行もロボットの活躍領域を広げる。一方で技術進歩に付いていけないメーカーは徐々に撤退していく

↓ パソコンの低価格化によりロボット開発がしやすくなり、2足歩行などの研究も活発に。ますます多様化が進む

拡大期（2000 年代）
製造業のグローバル化が進むなかで日欧米のメーカーは効率化のため積極的にロボット化を進め、多業種へ普及、第2次ロボットブームが起きる

↓ コンピュータ、ネットワーク、ロボット技術の融合が進み、新たな分野へのロボットの応用が模索されていく

変革期（2010 年代以降）
アジアなどの新市場を含めロボットビジネスのさらなる成長が予測される一方で、従来の産業用ロボットを超える新たな商品の開発が望まれている

出典：「21世紀におけるロボット社会創造のための技術戦略調査報告書」（日本ロボット工業会）などをもとに作成

30 溶接、塗装、加工、組付、組立、ハンドリング……

産業用ロボットの用途

次に、日本製産業用ロボットの用途別出荷台数を見てみましょう。これも国内と国外向け（輸出）とで違いが見られます。

海外に目を向けると、溶接、組立、マテリアル・ハンドリング（搬送、移送）が主要3用途で、クリーンルームがこれに続きます。一方、日本国内ではクリーンルームやマテリアル・ハンドリング、一般組立、溶接向け等の比率が高いほか、樹脂成形や入出荷など全体的に多様化が進んでいるようです。

かつては日本国内でも多く使われていた電子部品実装（組付）が国外に比べて少なくなっていますが、これは低価格の家電品などの生産を海外拠点に移していったからで、この数字からも最近の産業構造の変化が読み取れるのです。

それでは実際に、これらのロボットがどういうふうに使われているのか、自動車産業における導入例を見てみましょう。自動車の生産ラインは車体を中心とした「車両」とエンジンや電子部品などの「ユニット」に分かれます。車両においては溶接や組立に多くのロボットが活躍していますが、バリ取りや研磨などの機械加工にも今やロボットが欠かせません。またダッシュボードや一部のバンパーなどプラスチック部品の生産では金型からの取出工程にロボットが多用されます。

ユニットラインではエンジンなどの金属部品の成形工程で取出ロボットが使われるほか、電子部品の実装はほとんどロボットの仕事です。つまり、自動車関連産業にはあらゆるロボットが揃っているといっても過言ではありません。

なお、用途の項目の中でクリーンルームだけは少し異色で、搬送や組立などの作業をするロボットでありながら「作業中に塵や埃を外部に放出しない」といったクリーンルームの厳しい条件に応える特殊仕様品（塗装の仕方や材料まで一般用とは異なります）のことを示します。

要点BOX

- ●溶接・組立・搬送がロボットの主要3用途
- ●日本では幅広い用途にロボットを活用
- ●自動車産業はほぼすべてのロボットを利用

産業用ロボットの主要用途別出荷台数比率（2020年・台数ベース）

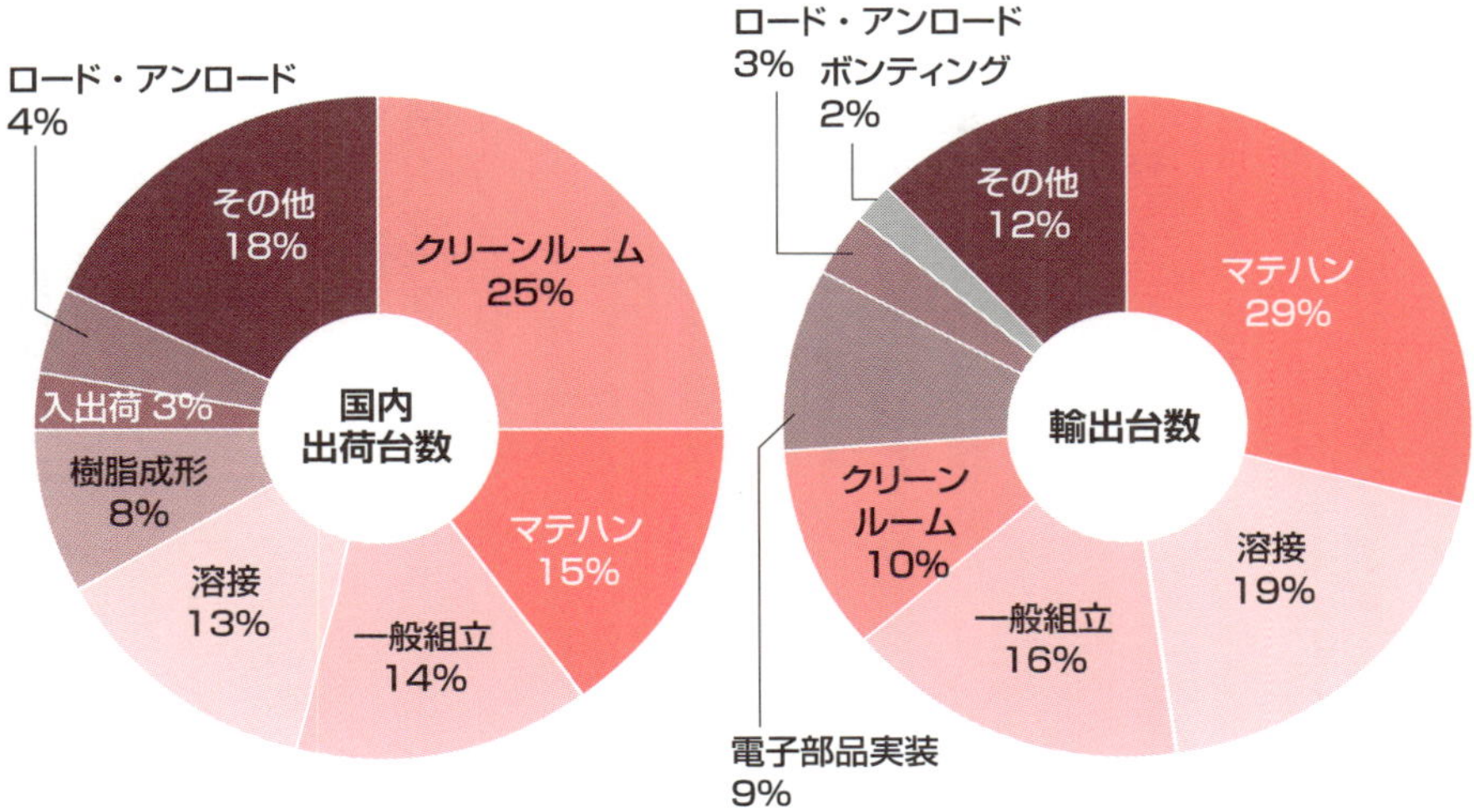

自動車の製造工程とロボット

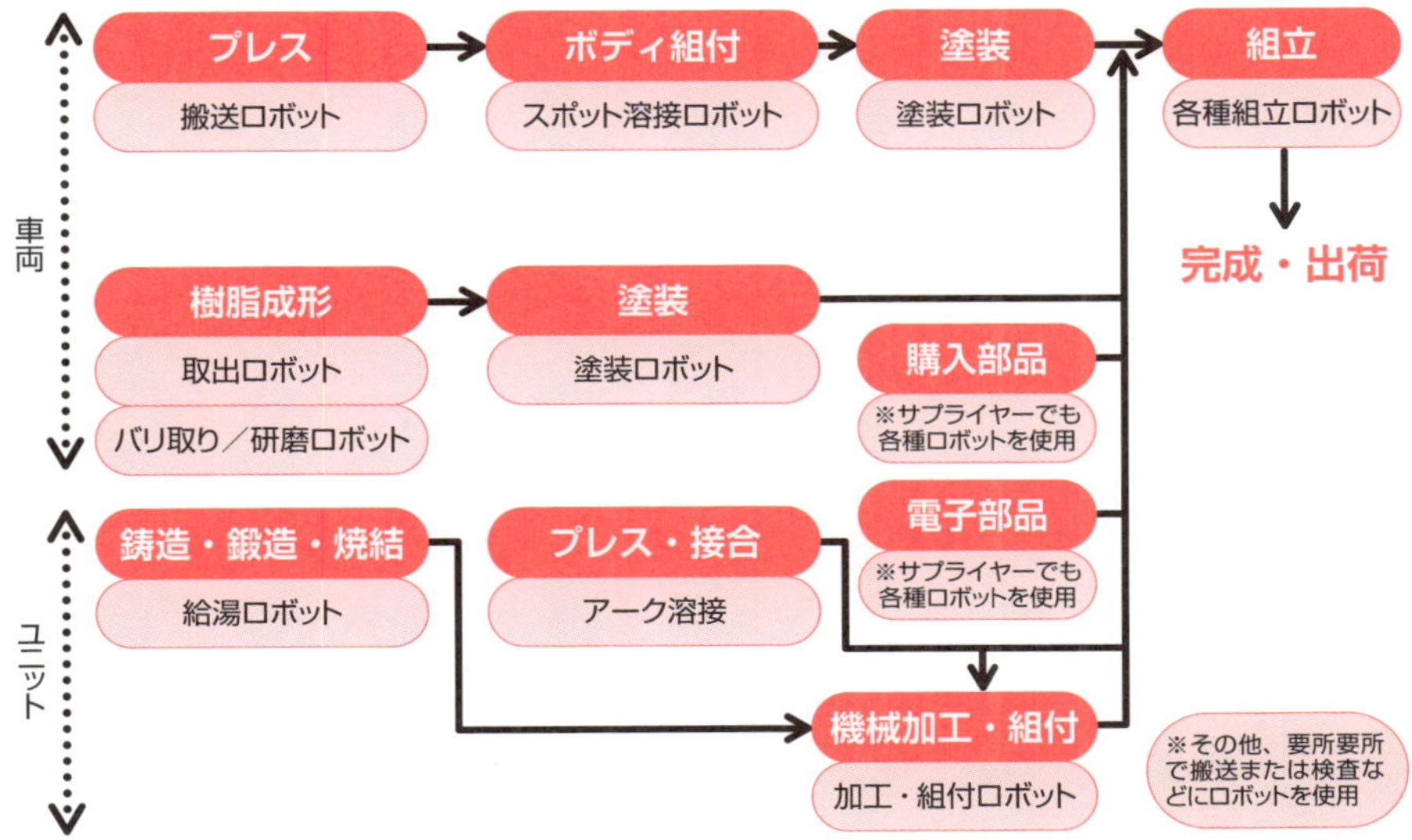

31 薄板のスポット溶接から厚板のアーク溶接まで

溶接ロボット

マニピュレータとも呼ばれるアーム式のロボットが考案されたとき、さまざまな用途が検討されたものの、普及のきっかけになったのは溶接ロボットでした。最大の理由は、溶接という作業が高熱と有害な紫外線、そして蒸発した金属が粉塵となるヒュームを伴う過酷なものであり、また熟練を要することから常に職人が不足していたからです。

溶接にはいくつか種類がありますが、自動車の生産工程で重要なのがスポット溶接とアーク溶接です。

スポット溶接は、2枚の母材を圧着しながら熱や圧力を加えて接合する圧接の1つで、電流を流したとき発生する抵抗熱を利用することから抵抗溶接ともいわれます。薄板と呼ばれる厚さ3ミリメートル以下の鋼板を接合するのに最適なことから、自動車ボディの製造に欠かせません。アームの先に溶接用のガンを付けたスポット溶接ロボットはさまざまな箇所で作業を行うため大型になり、生産ラインに沿って立ち並ぶ光景は圧巻です。なお、現在では自動車工場におけるスポット溶接作業の9割以上はロボットによって行われています。

アーク溶接は電極間の放電（アーク放電）による火花を利用して金属を溶融させ、接合する方法です。厚板の接合が可能なことから、戦前は艦船など大型船舶の製造で多用されました。戦後は建設機械や鉄骨フレームの溶接へと用途が広がり、自動車ではフレームやサスペンション部品など大きな力が加わる箇所の溶接に力を発揮します。大型の機械や建築物の製作には欠かせない溶接方法です。

なお、溶接ロボットは本体だけで使うことはなく、さまざまな周辺機器を伴います。つまり、生産ラインで活躍するロボットは自動溶接統合システムの一部に過ぎないのです。そしてこのようなシステム化の経験が他のロボットの導入にも活かされ、以降、多くの産業ロボットが活躍していくようになるのです。

要点BOX

- 過酷な溶接作業にはロボットが必要だった
- プレス材を接合してボディにするスポット溶接
- フレームなどを接合するアーク溶接

金属の接合法の分類

- 金属接合法
  - 冶金的接合法
    - 圧接
      - 抵抗溶接
        - スポット溶接
        - シーム溶接
      - 鍛接
      - 超音波溶接
    - 融接
      - アーク溶接
      - ガス溶接
      - 電子ビーム溶接
      - レーザー溶接
      - エレクトロスラグ溶接
      - テルミット溶接
    - ろう付け
  - 機械的接合法
    - ボルト締め、折込み、巻き締め、ねじ込みなど

スポット溶接ロボット

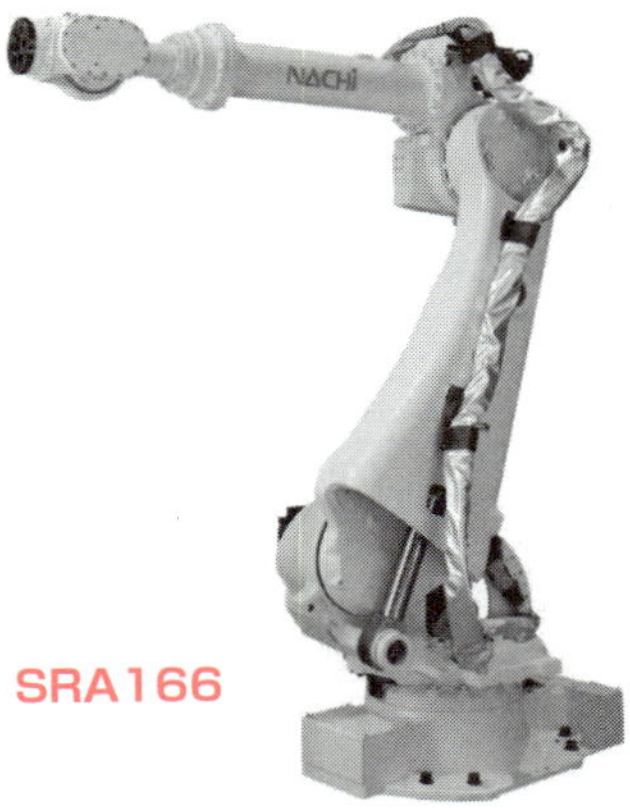

SRA166

資料提供：不二越

アーク溶接ロボット

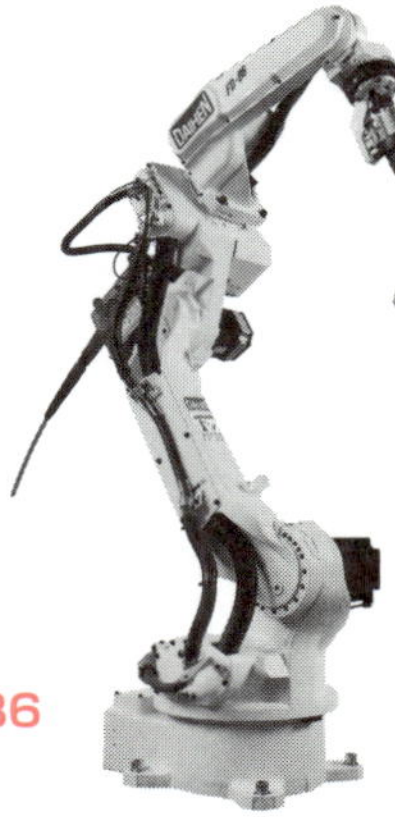

FD-B6

資料提供：ダイヘン

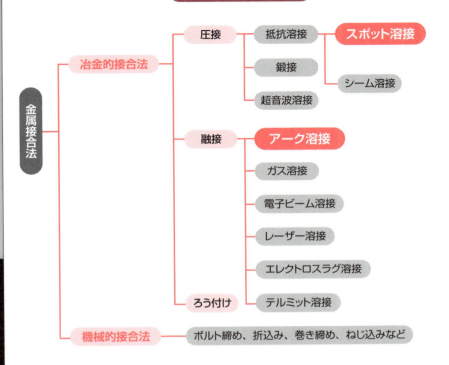

32 作業箇所を面で捉え、むらのない均質な仕上げが条件

塗装ロボット

溶接ロボットに続き、実用化されていったのが塗装ロボットでした。塗装工程では溶接工程ほど細かい位置制御は必要ありませんが、可燃性の溶剤などが拡散した環境では電気製品からの火花による爆発や火災が起きる可能性があるためロボットをすべて防爆仕様にしなければならず、新たな課題が突きつけられたのです。しかし、このような困難を乗り越えたことで、ロボットは大きく進歩していきます。

自動車工場で最初に導入されたスポット溶接ロボットは、溶接位置を「点」で正確に捉えます。そして、点から点へと移動しながら作業を続けるのです。次に開発されたアーク溶接ロボットは連続的に溶接を行うので、接合部の形状に合わせた「線」に沿った動きが必要です。もちろんトレースするだけでなく、作業の進行状況に応じた移動速度の制御が必要なのは言うまでもありません。このためアームの軽量化など、塗装ロボットならではの工夫もされています。

そして次の段階である塗装工程になると、ロボットの動きは「面」に広がります。したがって、それだけ高度な動作機構と制御技術が求められるのです。

自動車用に開発された大型の塗装ロボットは、やがてその技術を継いで小型化され、現在では携帯電話など電子・電子機器の塗装などにも使われています。塗料が飛散する塗装工程はもともと人にとって過酷であるため、ロボットの導入は必然でした。

自動車産業を中心とした大型の塗装ロボットでは、早くからこの分野で実績を積んできたメーカーが大きなシェアを占めており、新規参入はなかなか難しい状況です。しかし、最近、需要が増している小型機では新しいメーカーが生まれ、活況を呈しています。携帯電話や家電品など、多色塗装によるラインアップの拡大は多様化する市場ニーズへの対応として有効であり、塗装ロボットの進化はこれからも続くのではないでしょうか。

要点BOX
- ●塗装ロボットには防爆性が不可欠
- ●溶接の動きを面に拡大したのが塗装ロボット
- ●自動車から始まり電子・電気機器にも拡大

溶接ロボットから塗装ロボットへ

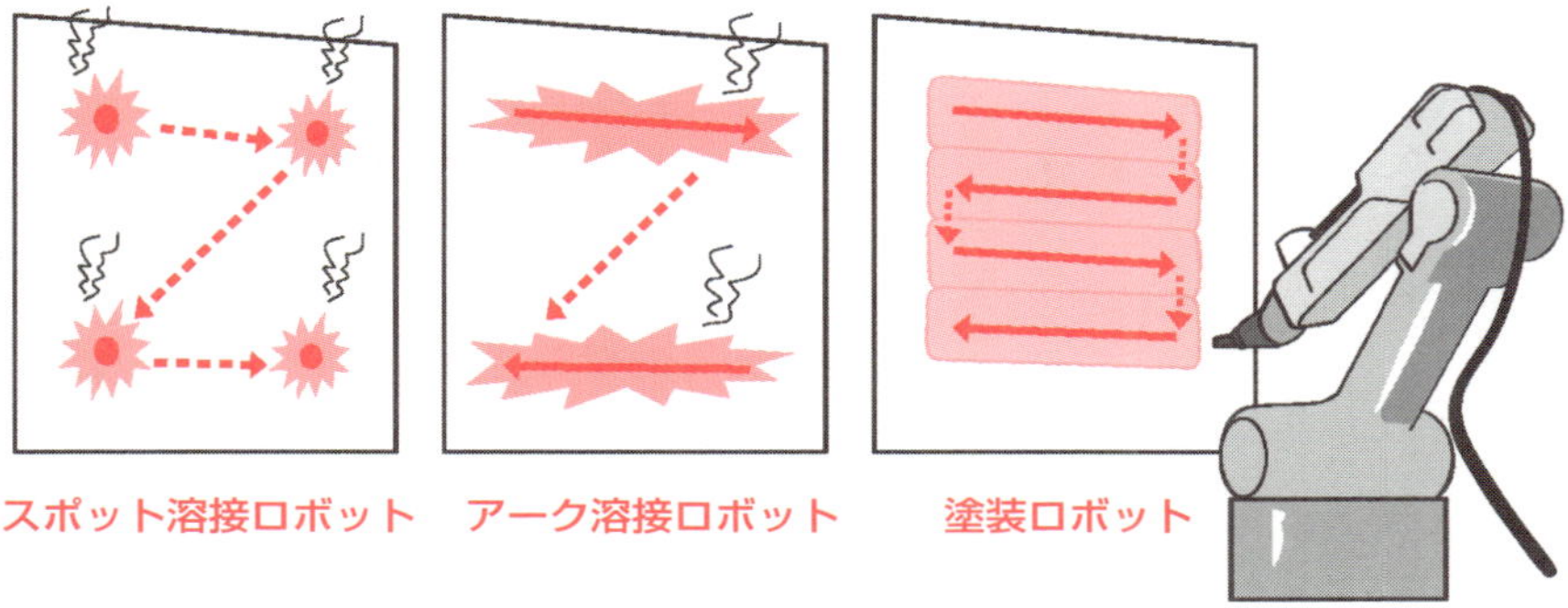

自動車や新幹線の塗装の様子

自動車の塗装

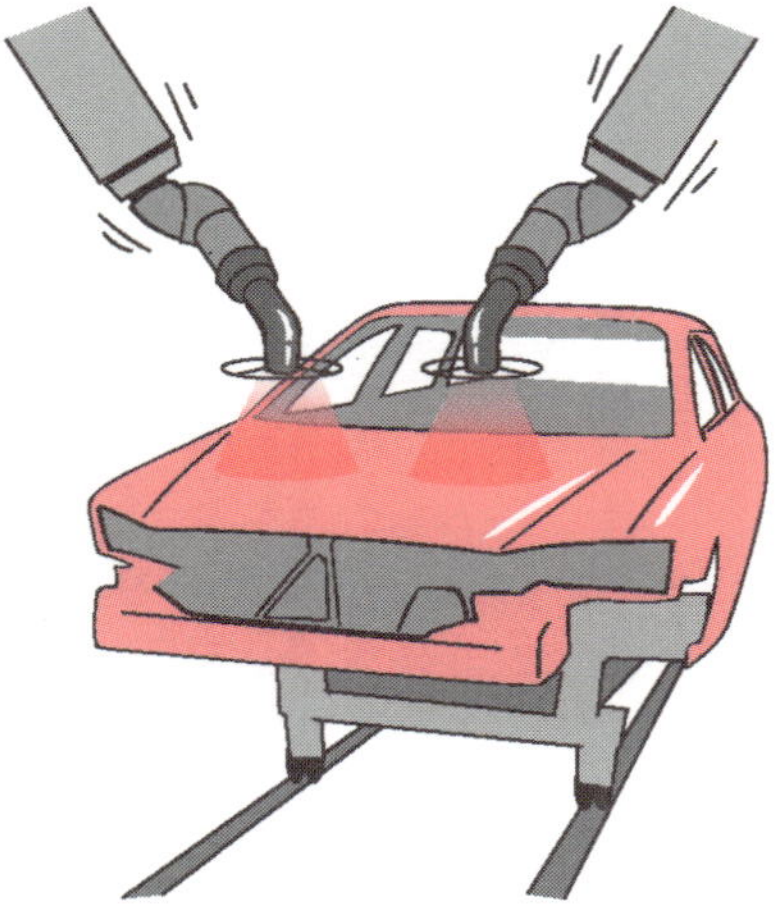

新幹線車両の塗装

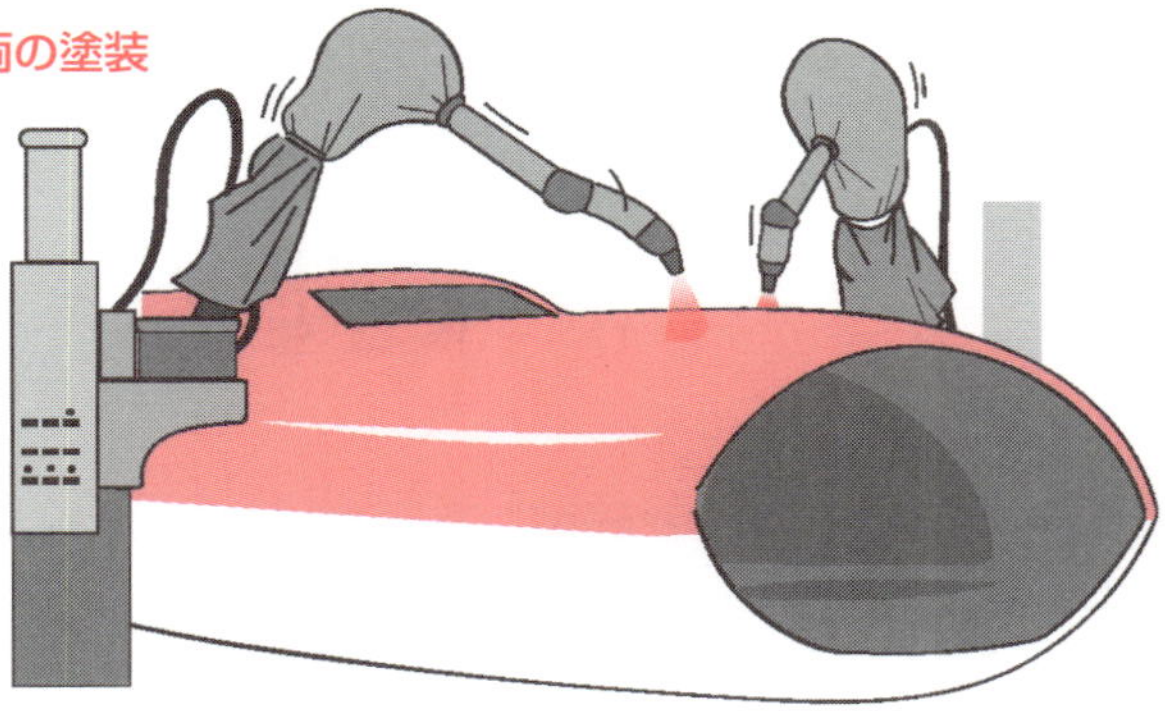

33 バリ取り・研磨作業に求められるきめ細かい動作を実現

仕上げロボット

材料を切ったり削ったりすると、角の部分にバリと呼ばれる出っ張りが生じます。設計通りの形状を実現し、機械の精度を上げるには、この部分をヤスリなどで除去するバリ取りが欠かせません。同じ目的の作業に面取り、R付け、磨きなどの研磨があり、これらを合わせて「仕上げ作業」と呼びます。

従来、仕上げ作業は熟練した作業者によって行われるのが常識でした。ある程度までの研磨はマシニングセンターなどの自動工作機でできても、最後は微妙な力加減による調整が必要だったからです。しかし、製造業全体の人手不足という問題を考えたとき、この分野にもロボットの導入が期待されたのは言うまでもありません。

そこで開発されていったのが、力覚センサによるきめ細かい制御技術でした。作業中に工作物から来る反力を感知し、工具を押しつける力の調整を行うことで、熟練作業者のテクニックを再現できるようにしたのです。

さらに、高精度な仕上げを行うための工夫として画像処理との連携があります。作業箇所を常に撮影し、その情報から工具がバリ取りや研磨を行う位置に正確に到達しているかを判断するところから、作業の進行状況をチェックし、適切なタイミングでストップさせることにより、最新の仕上げロボットでは100分の5ミリメートルに近い精度で正確にバリ取りを行えるほどです。

その他、アームの回転軸が同じ方向にあると誤差が累積して先端のブレが大きくなったり、軸方向への剛性が低くなってたわみが生じやすくなったりしたことからアームの構造を見直したメーカーもあり、仕上げロボットの開発はロボットの精度を大きく向上させるのに役立ちました。現在では人工関節のような「硬いうえに精密加工が求められる製品」も自動仕上げが可能になり、活躍の場はさらに広がっているのです。

要点BOX

- ●部品完成にはバリ取りと研磨が不可欠
- ●仕上げは複雑できめ細かい動きが必要
- ●力覚センサや画像との連動などの新技術

精密仕上げロボットのシステム構成例

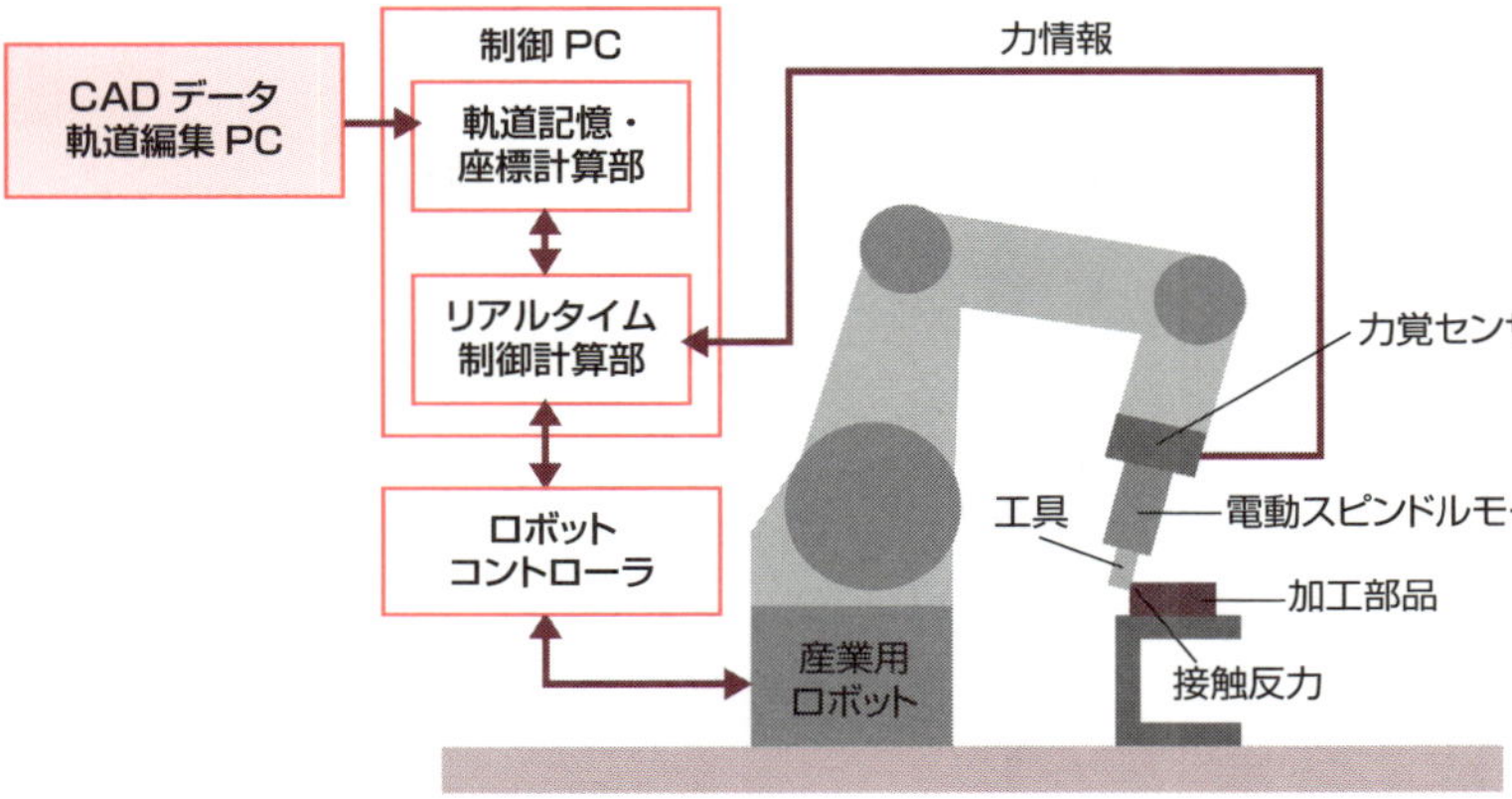

資料提供：IHI

人工関節の自動仕上げロボットシステムの例

研削・研磨加工に特化し、限りなく滑らかであることが求められる人工関節でも、人の感覚を再現する独自制御法により要求精度の高い仕上げ作業を自動化する

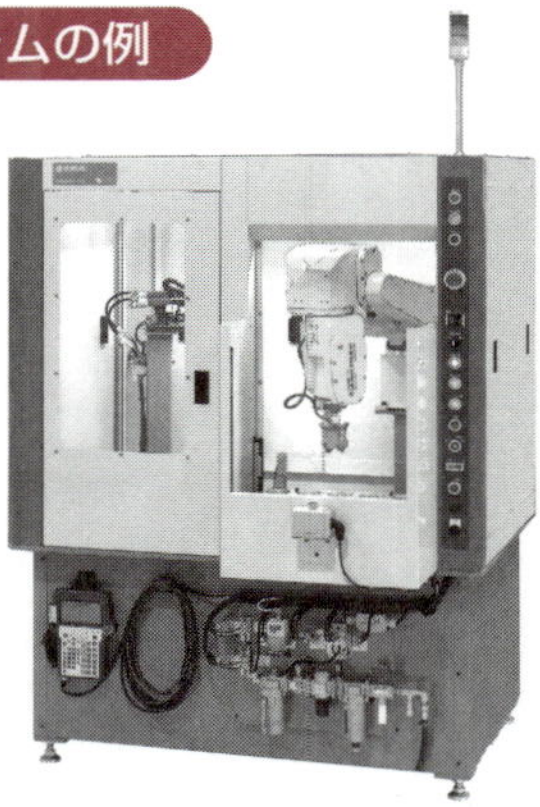

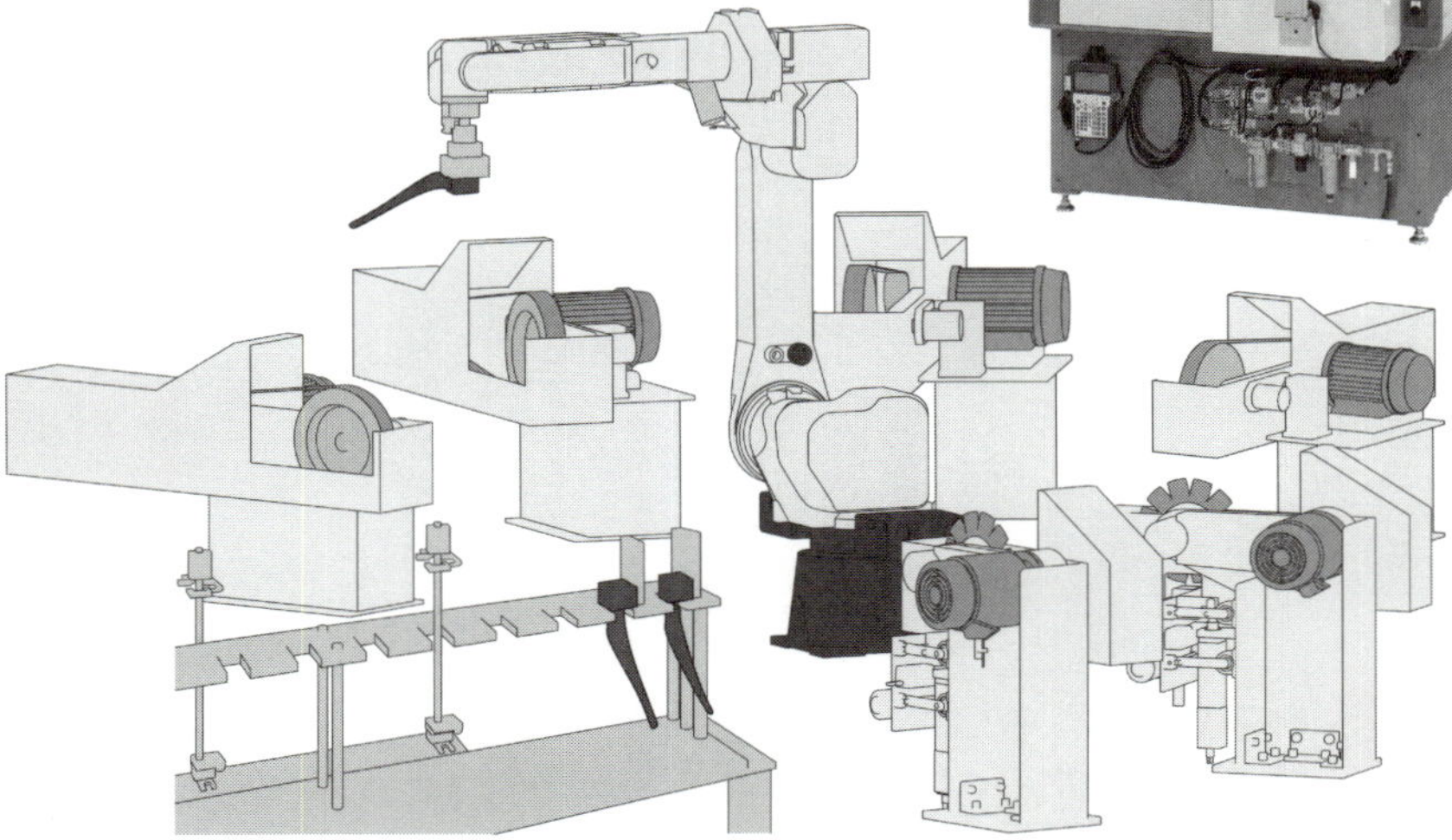

資料提供：ヤマハファインテック

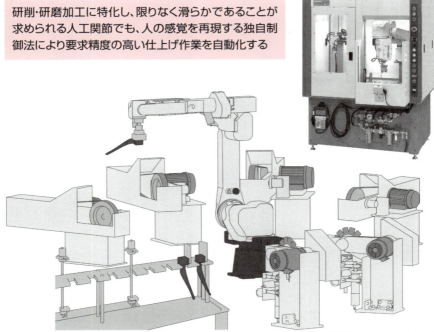

34 人と協働する組立工程にロボットを導入するための課題

組立ロボット

　自動車の生産においてもっとも複雑な作業である組立工程（主に艤装《ぎそう》）においても、ロボットの導入が進んできました。たとえばトヨタ自動車では、ウィンドウガラスの据え付けやスペアタイヤの搭載などにロボットを活用しています。

　組立工程のロボット化には大きく2つの課題があります。1つめは、複雑で多様な作業をどうやってロボットに再現させるかです。ただこの点に関しては、日本が得意としてきた組立自動機などの技術からの発展が解決に導いてくれます。

　それ以上に困難なのが人とロボットの協働であり、これが2つめの課題になります。自動車工場の組立ラインでは、流れてくる車体に作業者が部品を1つひとつ取り付けていきます。したがって、その一部をロボット化するということは人との協働作業になるわけで、溶接や塗装ロボットのように安全柵で隔離することが難しいのです（不可能ではありませんが、ラインが長くなり、生産効率が落ちてしまいます）。

　そこで、「人と協働できるロボット」の開発が始まりました。しかし、単純に協働といっても、人の安全の確保のためには多くの技術的課題をクリアする必要があります。

　たとえば、「作業中のロボットの動作エリア内に入った人を検知する機能」や「人とロボットの接近状態や距離を認識する機能」、「作業中のロボットに人がぶつかったときにすぐに検知し停止などの緊急退避動作ができるようにする機能」などさまざまな局面に対応できる機能を充実させる必要があります。また、センサの動作不具合なども想定した多重系にする必要もあります。

　さらに作業の用途ごとに危険性は異なりますので、それぞれの用途に応じたリスクアセスメント（危険性を分析し対策するための方法）を十分に行う必要があります。

要点BOX
- ●組立工程にもロボットが導入されている
- ●効率化のため人とロボットの協働が条件
- ●弱い力で動き、ぶつかったら確実に退避

人とロボットが協働するための課題対策案の例

作業中のロボットの動作エリア内に入った人を検知する

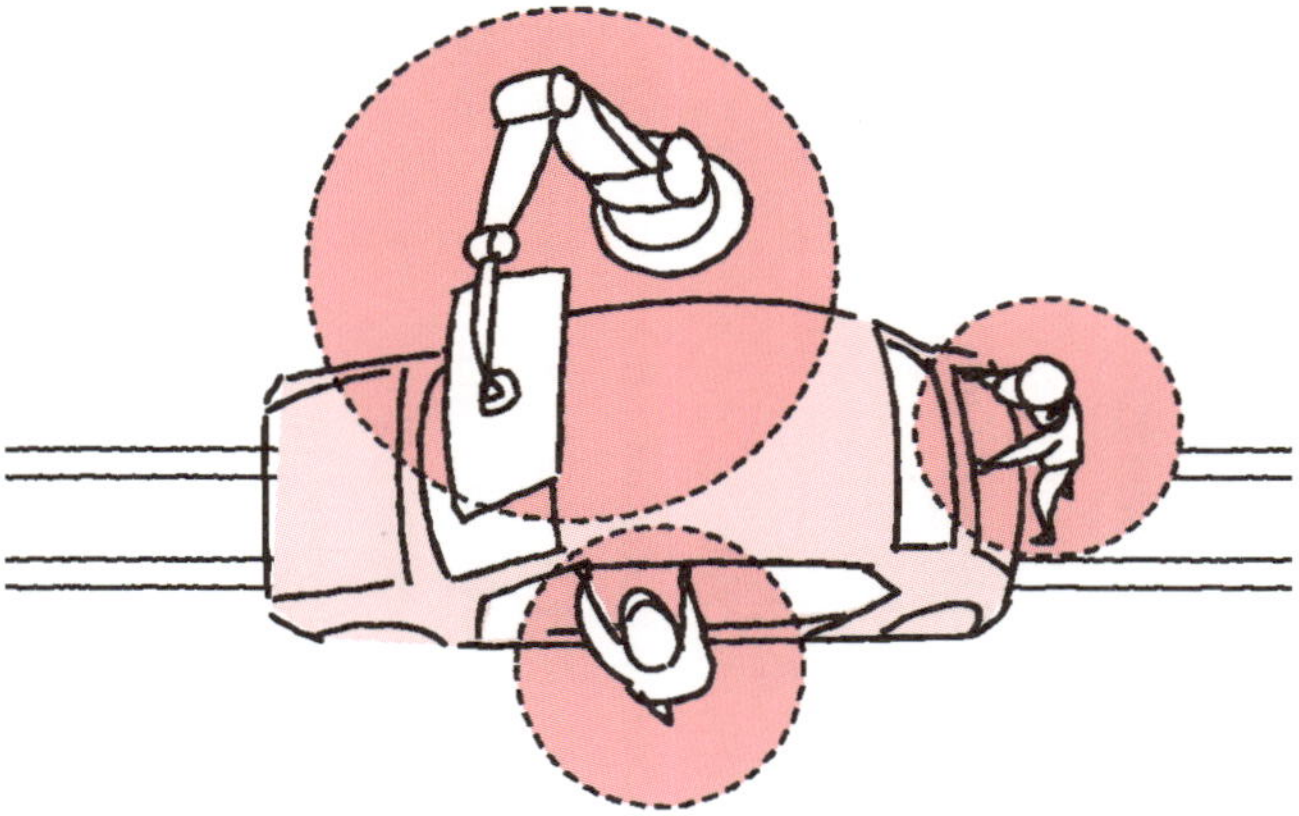

人とロボットの接近状態や距離を認識する

作業中のロボットに人がぶつかったときにすぐに検知し
停止などの緊急退避動作ができるようにする

35 マテハンの要となるパレタイジングロボット

搬送・移送用ロボット

あらゆる工業製品は生産ラインに沿って、工程から別の工程へと移動しながら完成していきます。この間の搬送・移送作業にもロボットは欠かせません。

短い距離、たとえば同じ機械の内部で部品の位置や角度を変えたり、隣の機械へ移動したりというような程度であれば、固定されたロボットがアームを使って直接ハンドリングします。コンベアのように大量に運ぶことはできませんが、高低差のあるところでも簡単に移動させられるので、工場の中ではよく見られる光景です。

距離がある場合はその間にコンベアを配置しますが、コンベアの上に乗せたり取り上げたりするのは、ロボットの仕事になります。センサによって特定の部品だけを取捨選択できるため、複数の工程でコンベアを共有することも可能です。またロボットに移動用の走行台車（ガントリー）を付けてそのまま搬送させるか、ガントリーロボットと呼ばれる直角座標ロボットを使用することもあります。

搬送作業を専門的に行うロボットにパレタイジングロボットがあります。パレタイジング（palletizing）とは工場や倉庫などで荷物を載せる台「パレット」から来た言葉で、フォークリフトなどで効率よく運ぶには「載せ方」が重要なのは言うまでもありません。

パレタイジングロボットはまさにその役目を担い、たとえばダンボール箱を教えられたパターンに従って隙間なく積み上げたり、大きさや重さの違う運送物を自分で考えてきれいに載せていきます。このような優れた機能を活かし、コンベア上で製品を箱詰めしていくパッケージ作業にもパレタイジングロボットは活躍しているようです。

なお、物流の最適効率化のための作業をマテハン（マテリアルハンドリング）と呼ぶため、要となる搬送・移送用ロボットをマテハンロボットとして別に区分することがあります。

要点BOX
- ●生産ラインの搬送にもロボットが活躍
- ●センサで状況把握し自律的にハンドリング
- ●積み卸しを効率的に行うパレタイジングロボット

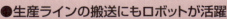

パレタイジングロボットの仕事の様子

パレタイジングシステム

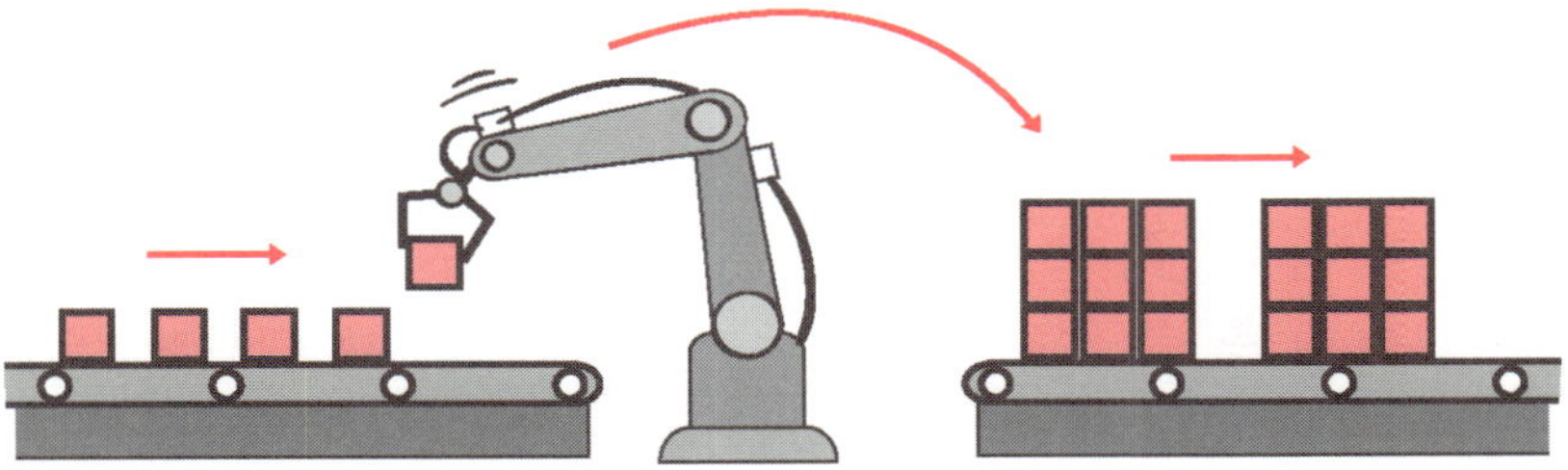

パッケージングシステム

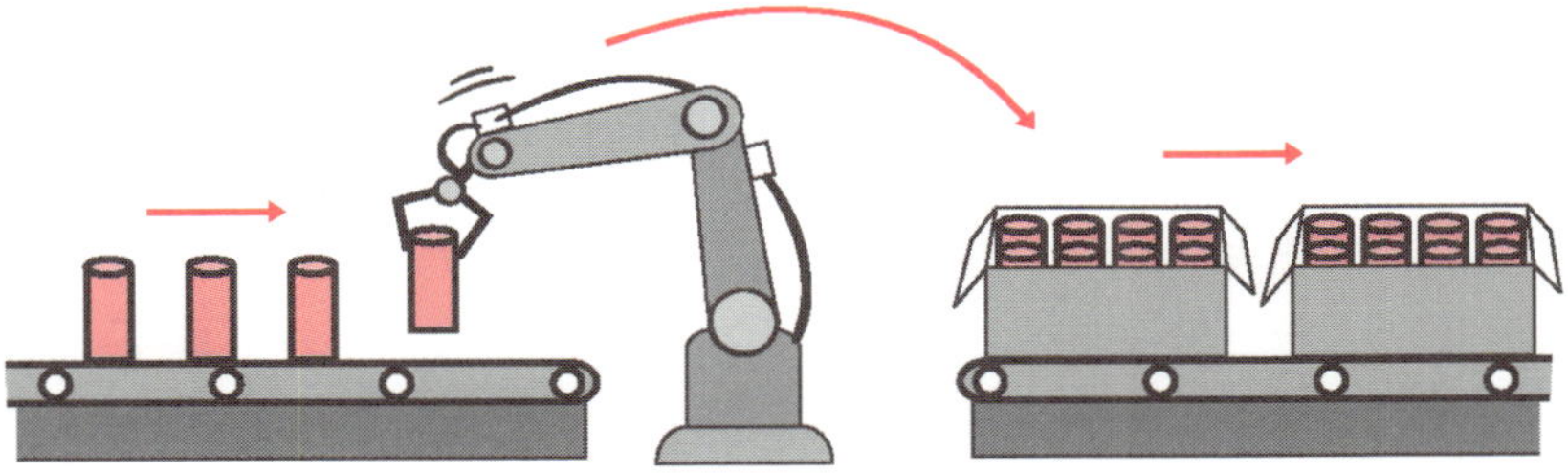

デパレタイジングシステム

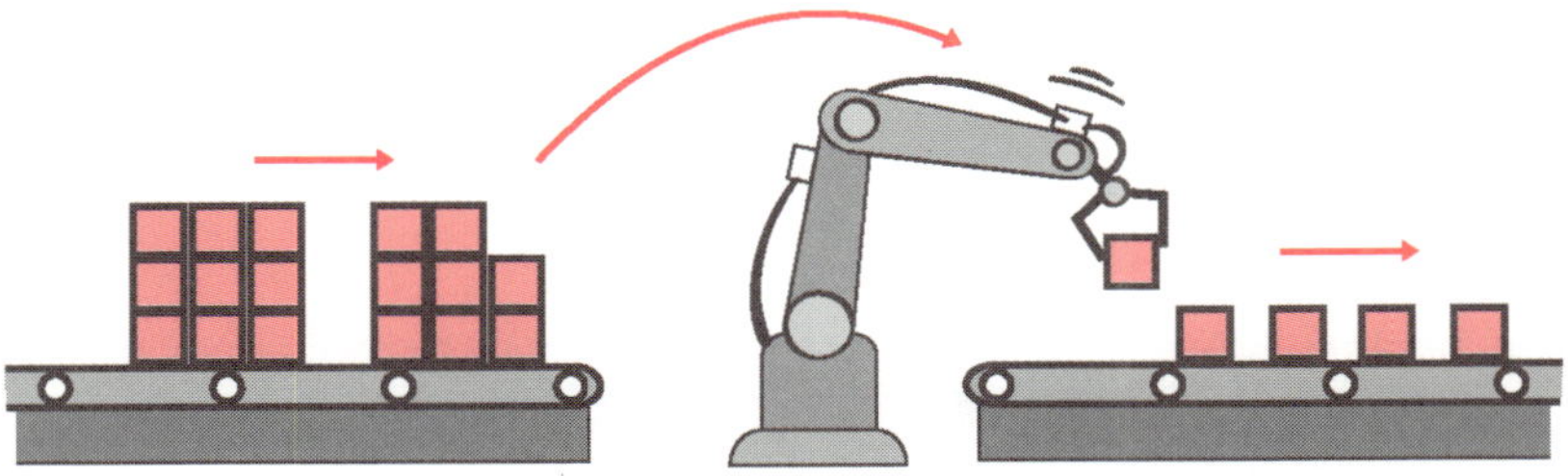

36 プラスチック製品の陰にはロボットあり

成形品取出ロボット

産業用ロボットの出荷台数統計において、プラスチック製品向けの出荷台数は全体の1割近くを占めます。しかし、ここに分類されるロボットがどのような仕事をしているかは、案外、知られていません。

プラスチック（合成樹脂）はペレットと呼ばれる米粒状の形で供給され、これを加熱溶融してから金型に流し込みます（射出成形）。その後、開いた金型を上下動させるなどして成形品を払い落とすのですが、この工程が簡単ではありません。

複雑な形状のものだとなかなか離型せず、作業を繰り返すうちに金型を破損することもあったのです。このため熟練した作業員が成形機1台ごとに1人ずつ張りつき、状況を確認しながら手作業で行っていたのですが、フル稼動の工場では24時間3交代分の人員を確保しなければならず、製造業における人手不足が問題になり始めた1960年代ごろから自動化が求められてきました。その後、さまざまな試行錯誤を続けながら自動取出機は徐々に進歩し、やがて自律機能を兼ね備えたロボットへと発展していきます。

そして現在、ほとんどの射出成形機は取出ロボットとセットで稼動しているだけでなく、後工程への搬送やパッケージなど多くの作業がロボットによって行われるようになったのです。また同じようなノウハウを活かして、金属製品の取り出しにもロボットが活躍するようになってきました。

この分野のロボットを開発・生産するメーカーとして異色なのがセーラー万年筆でしょう。主要製品である万年筆やボールペンは主にプラスチックでできていることから、取出ロボットの開発に自ら着手しました。1969年に最初の試作機を完成させ、翌年からは外販を始めました。

ロボットの扱う材料が金属からプラスチックへと広がったことで、活躍場所もますます多様化し、製造業のあらゆる分野へと広がっていったのです。

要点BOX

- ●産業用ロボットの約1割は樹脂製品工場へ
- ●離型作業の自動化が新たなロボットを生む
- ●取出を起点に工場全体にロボットが進出

プラスチックの成形工程

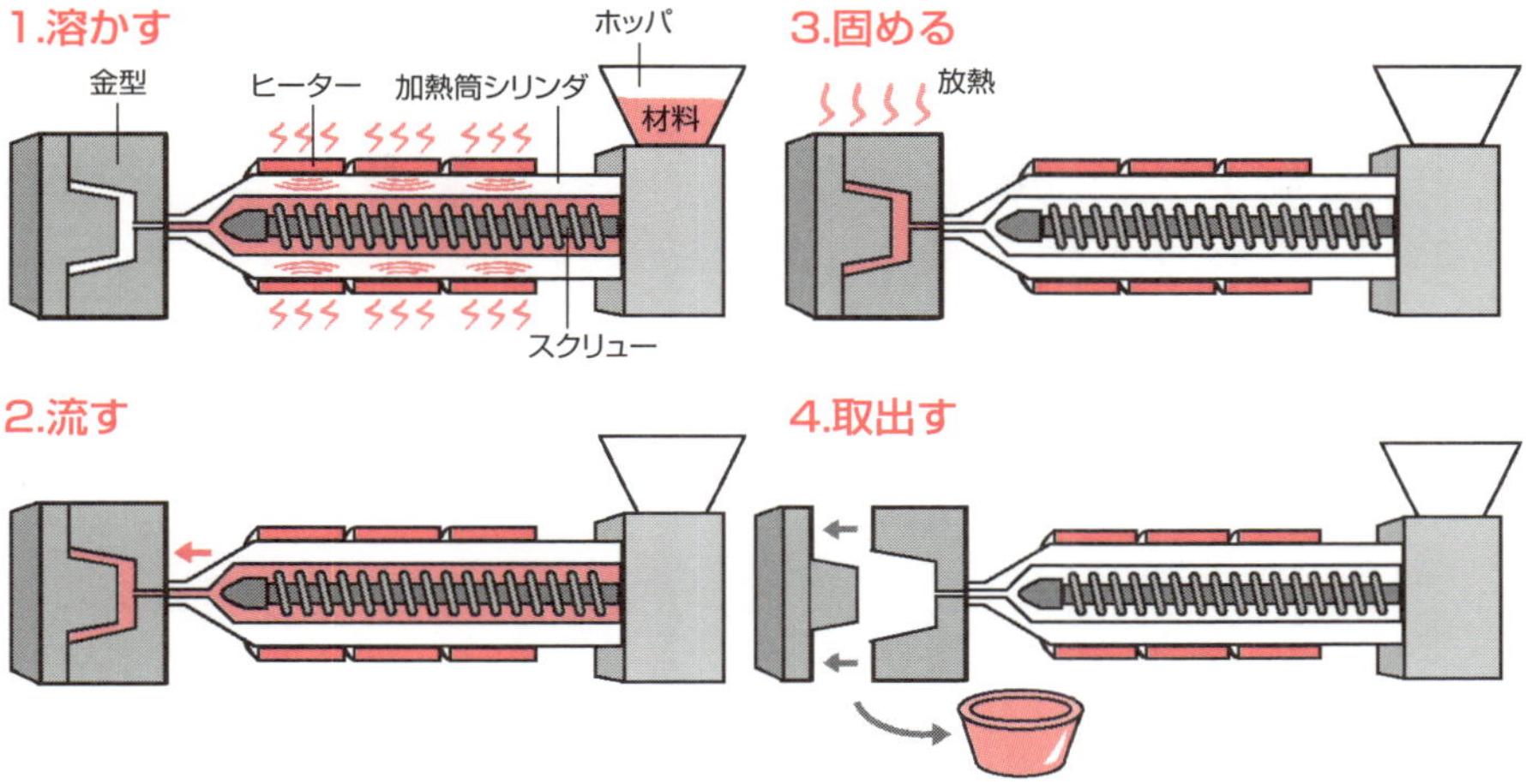

さまざまな成形品取出ロボット

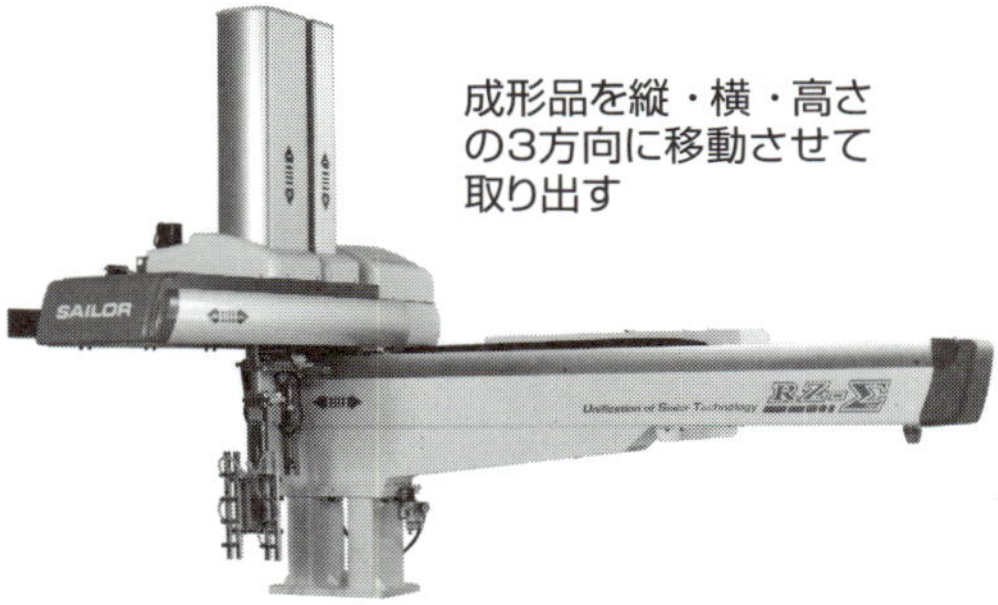

成形品を縦・横・高さの3方向に移動させて取り出す

トラバースタイプ

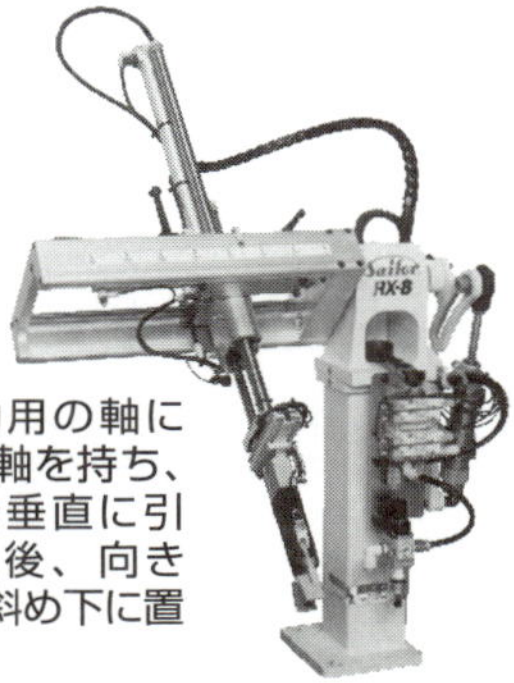

縦横移動用の軸に加え旋回軸を持ち、成形品を垂直に引き上げた後、向きを変えて斜め下に置く

スイング(首振り)タイプ

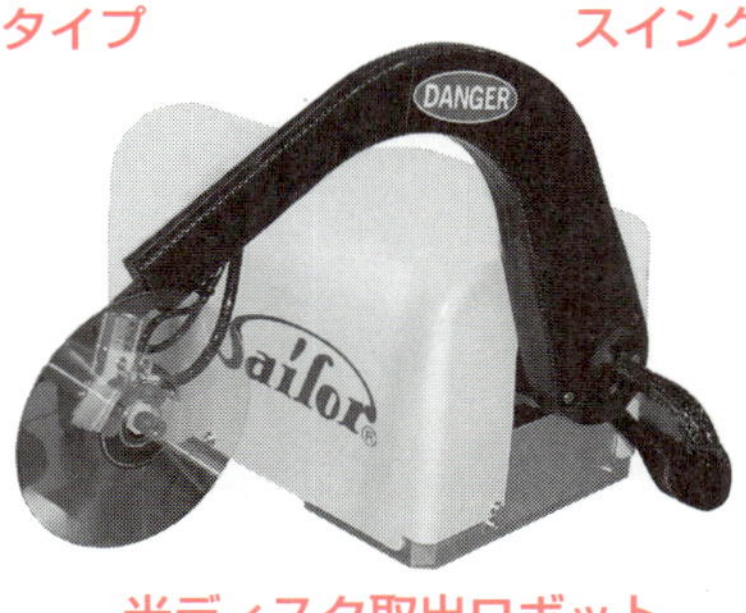

光ディスク取出ロボット

資料提供：セーラー万年筆

37 微細化する回路と大型化する基板の両方向に対応

クリーンルーム用ロボット

クリーンルームで活躍するロボットとして代表的なのは、半導体集積回路基板のシリコンウェハや液晶パネル用のガラス基板を運ぶ搬送用のものです。

空気清浄度を一定に保つクリーンルームにはさまざまなレベル（クラス）があり、半導体や液晶工場ではISOの清浄度クラス4〜1と非常に高いクリーン度が求められます。それだけに、そこで働くロボットにも特殊な仕様が必要になってくるのです。

たとえば、半導体集積回路におけるプロセスルール（線幅）は、フラッシュメモリであれば15ナノメートル（10億分の15メートル）にも達しています。したがって、ロボットがこの幅より大きい塵や埃を出すことは許されないのです。対策としては徹底的なシーリングを行います。これは内部から発生する塵埃が外に出ないようにするだけでなく、外気からロボット内への異物の侵入も防ぎます。そうしないと、一度吸い込んだ塵埃を再び放出してしまうからです。関節部分などを完全にシーリングできない場合には、ロボットの内部を負圧状態にしてクリーン度を維持する方法もあります。ただしその場合には、ポンプなど新たな装置を付け加えるためそこから発生する塵埃にも気を遣わなければなりませんし、吸引した空気をどうやって排出するかといった問題を伴うので、シーリングだけで解決したほうが有利です。

搬送ロボットといっても、ただ物を右から左に運べばいいというわけではありません。半導体工場であれば、基板を複数枚収納したカセットから1枚ずつ取り出して次の装置に送り込むといった細かい作業を行います。

現在、半導体用ウェハは直径450ミリメートル、液晶用ガラス基板は最大で約3メートル角ほどにまでサイズアップしており、これらを高速で正確に扱いながら規定のクリーン度を保つのは簡単ではありません。それだけに、クリーンルーム用ロボットを開発・生産するメーカーは非常に限られてくるのです。

要点BOX

- ●半導体工場などクラス4〜1に対応
- ●徹底したシーリングで塵の放出を防ぐ
- ●大型化する基板を1枚ずつ扱う繊細な作業

クリーンルームのレベル（空気清浄度）と用途

ISO 基準（ISO14644-1）	クラス ISO 1	クラス ISO 2	クラス ISO 3	クラス ISO 4	クラス ISO 5	クラス ISO 6	クラス ISO 7	クラス ISO 8	クラス ISO 9
米国 209E 基準相当値			クラス 1	クラス 10	クラス 100	クラス 1,000	クラス 10,000	クラス 100,000	
最大空中塵埃数／立方メートル	≧0.1μm								
	10	100	1,000	10,000	100,000	1.0×10^6	1.0×10^7	1.0×10^8	1.0×10^9
	≧0.5μm								
	0.35	3.5	35	352	3,520	35,200	35,2000	3.52×10^6	3.52×10^7

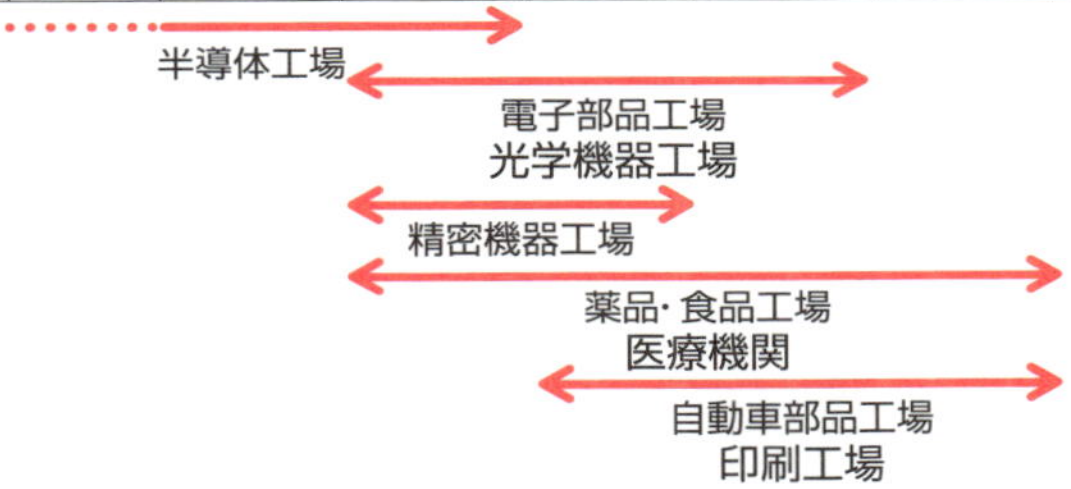

クリーンルームで活躍するロボットたち

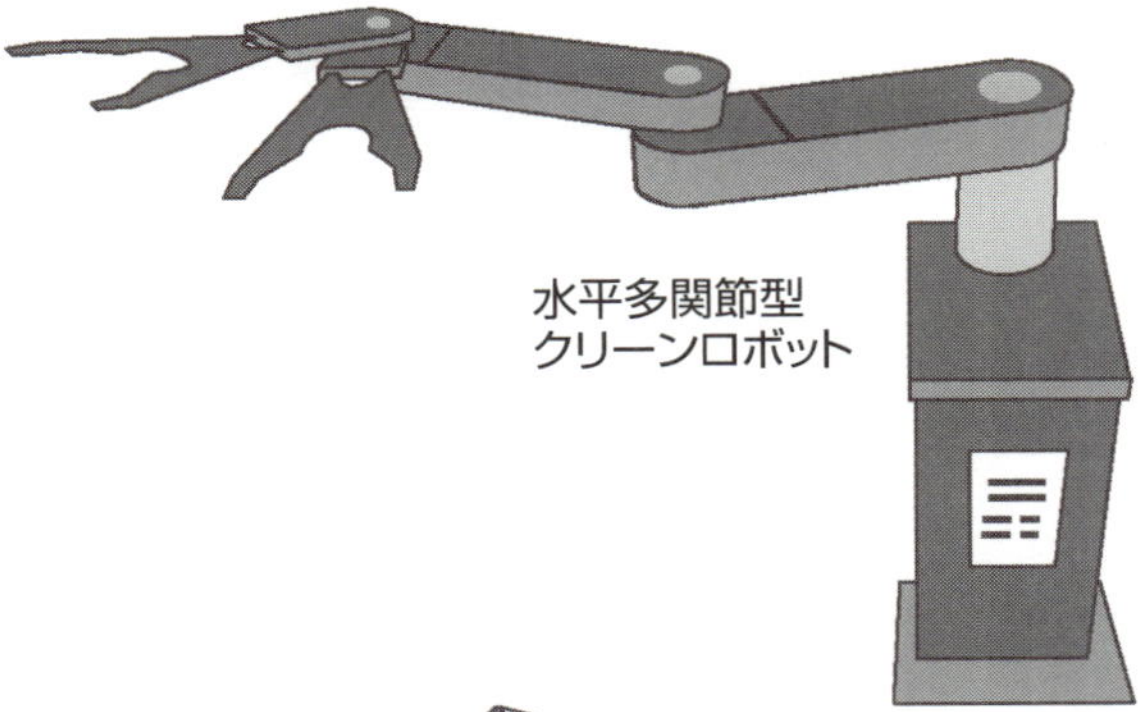

水平多関節型
クリーンロボット

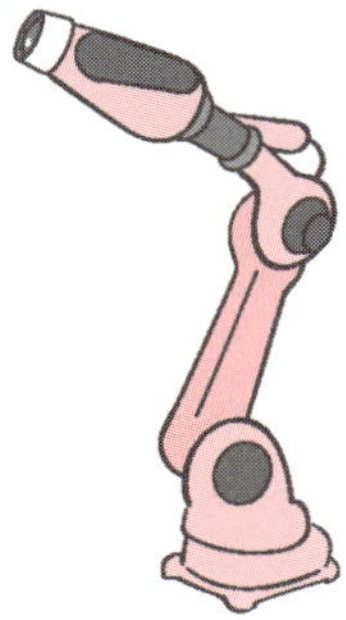

垂直多関節型ロボット

38 食肉の加工から炊飯、弁当の盛りつけまでロボットで

食品産業用ロボット

産業用ロボットに非常に専門的な作業をさせているのが食品業界です。いくつか紹介しましょう。

食肉は1つひとつ形や大きさが違ううえ、押すと形が変わってしまうほど柔らかいため、加工工場の自動化は難しいといわれてきました。しかし、熟練した職人が不足していることから、産業用ロボットによる解決が求められたのです。

手順としては、まずX線センサによって肉の中心部にある骨を探し出します。そこに向かってナイフで切り込みを入れるのですが、このとき問題になったのは、力が加わることで骨の位置が動いてしまうという問題でした。このため、新たに開発したロボットでは人の手首のように柔軟に動く仕組みをアームの先端部分に取り付け、肉がずれてもそれに沿ってナイフが付いていけるようにしたのです。もちろん人に比べてはるかに高速で、1時間に600個もの肉を処理することができます。

食品工場でもっとも多くのロボットが活躍しているのは、トレイ詰めや箱詰めの作業場です。使われているのはアーム式の産業用ロボット（マニピュレータ）ですが、菓子や総菜、野菜などの柔らかい食品を傷つけずに運ぶためにさまざまな工夫がされていますし、弁当工場などではセンサ技術を駆使して「たくさんのおかずの中から決められたものだけを選んで詰める」という作業が可能になっています。

産業用ロボットを調理器などと合体させた例としては立体型IH炊飯システムがあります。縦横に配置された巨大な炊飯器の前に産業用ロボットが陣取り、次々と入れ替えていくのですが、重量もあり高温にもなる釜を出し入れするのはロボットにしかできません。従来、自動炊飯は釜を平面的に配置してコンベアなどで移送していました。しかし、ロボットの活用により立体化が可能になり、搬送機器の削減と省スペース化を実現したのです。

要点BOX

- ●専門的な作業が求められる食品加工ロボット
- ●食肉の骨をまるで職人技のように取り除くことも
- ●弁当のおかずを選んで詰めるのもロボット技

豚うで部位自動除骨ロボット「ワンダス-RX」

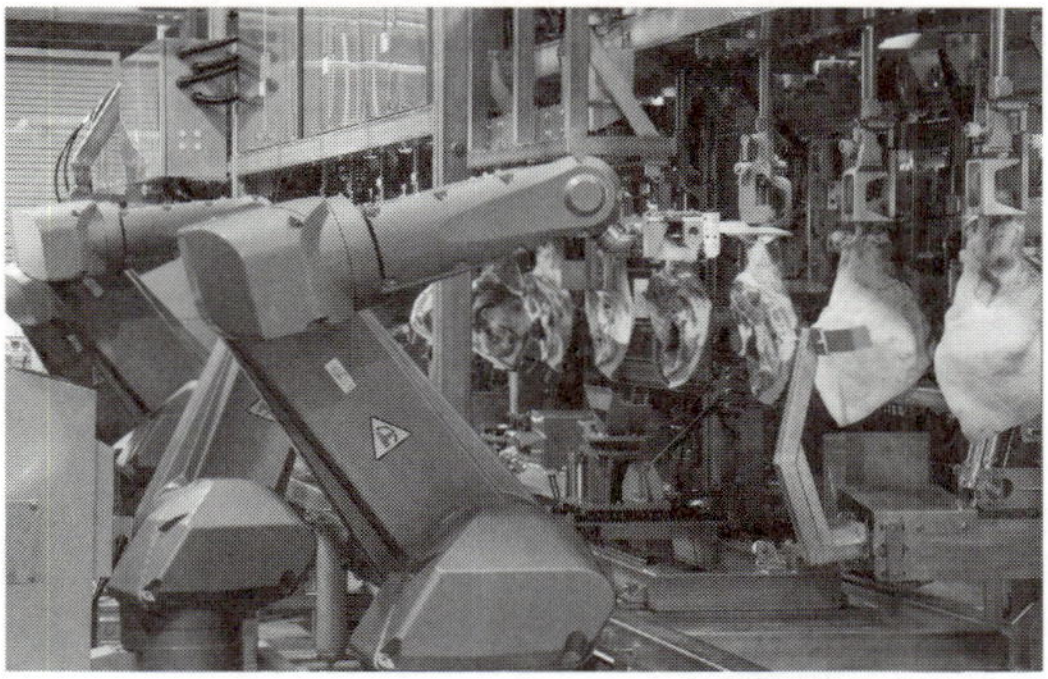

写真提供:前川製作所

弁当自動盛りつけロボット

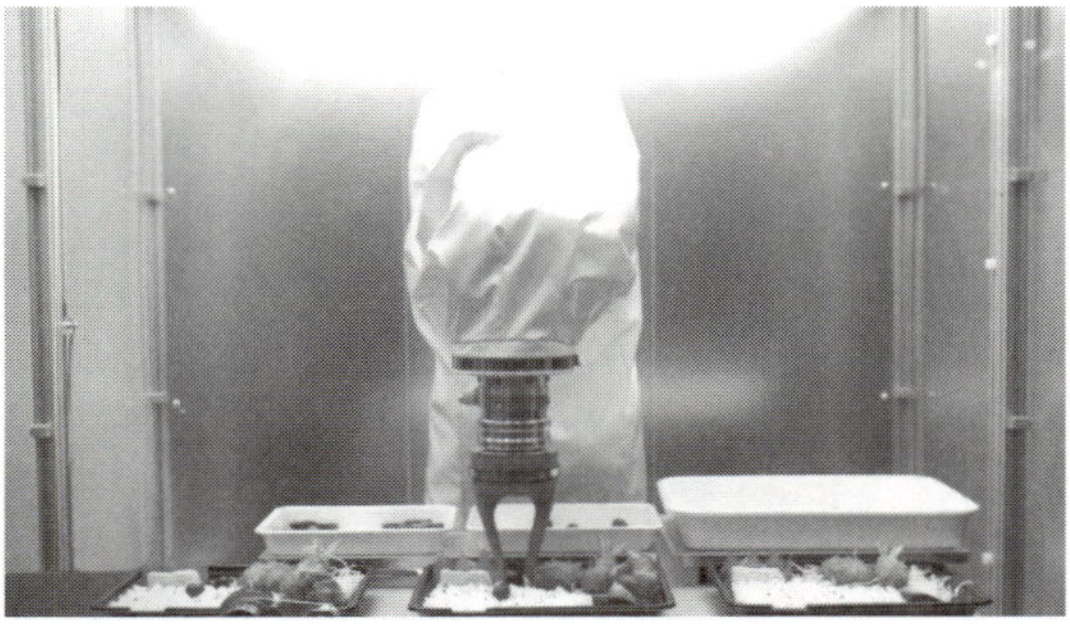

写真提供:デンソーウェーブ

食品向けロボットの出荷台数推移

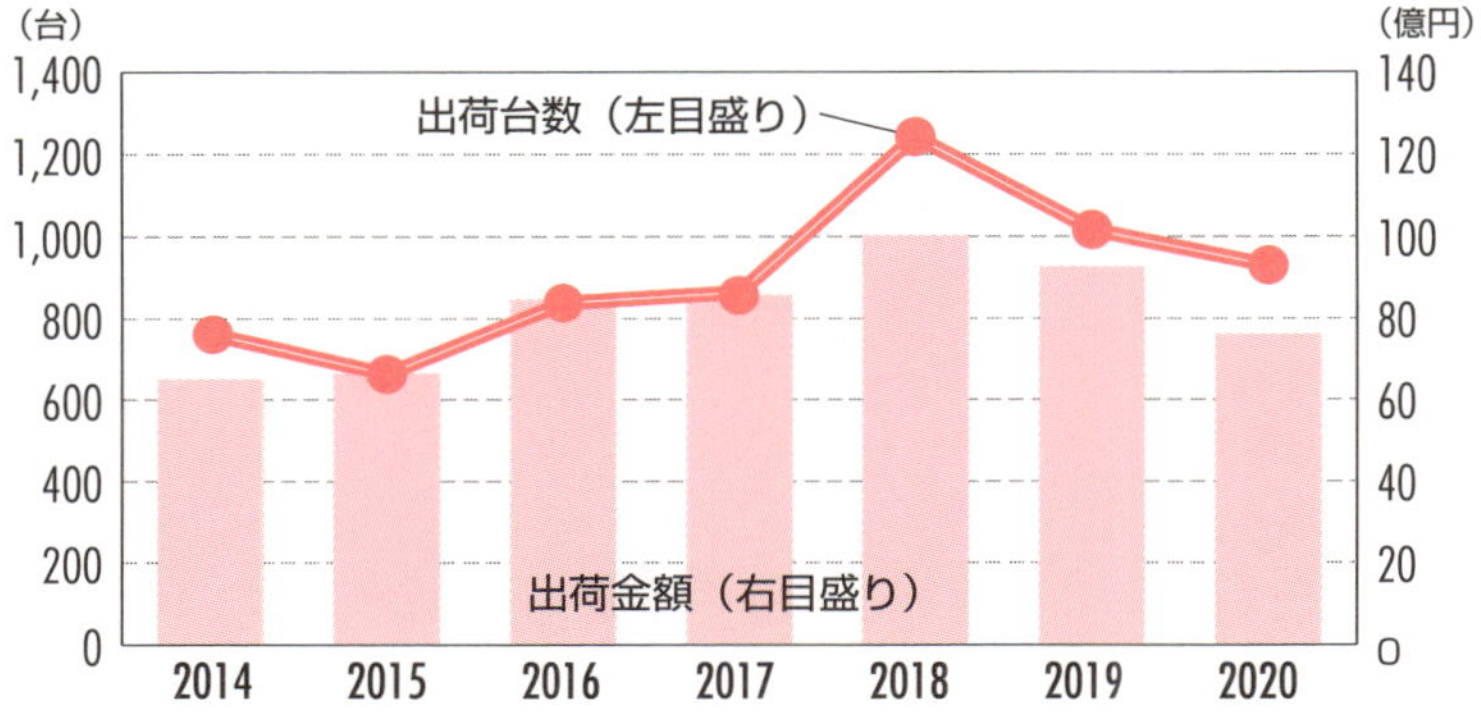

Column

ロボットの経営効果はお金だけで判断できない

企業がロボットを導入すると、どんな経営効果が期待できるのでしょうか？　ここで大切なのは、金銭的な価値観だけにとらわれないということです。

ひと昔前、ロボット導入のメリットは、そのためのコストとそれによって省ける人件費との比較によって説明されることがありました。つまり、ロボットが人減らしの切り札だと考えられていたのです。

しかし現在、このような考え方はあまり現実的ではないことがわかってきました。なぜなら、いち早くロボットを活用してきた日本の自動車メーカーや電機メーカーは、それによって事業の拡大に成功し、むしろ従業員数を増やしてきた歴史があるからです（第7章参照）。

そもそもロボットは、人の代わりをするために生まれたのではありません。人があまりやりたがらない仕事や、人がするには大変な仕事、さらには人ができない仕事を高速・確実・効率的に行うために開発されたものなのです。つまり、スタート段階から省人化とは無縁の存在だったのですね。

実は同じことがコンピュータにもいえます。パソコンの普及は書類作成や計算といった単純作業を自動化しました。それにより、以前は複数人で何時間もかけなければ終わらなかったような仕事が、1人で簡単にできるようになったのです。

しかし、有能な経営者は、このことを省人化とは結びつけませんでした。それより、単純作業から解放された社員たちに創造型の仕事をさせることで、新事業の創出や経営効率の改善につなげたのです。

ロボットの導入による経営効果は、パソコン以上に数字にしにくいものです。たとえば製造業であれば、生産効率を高めるだけでなく製品の品質向上にもつながるケースが多いので、「人件費何人分」という判断はできません。

さらに、ロボットによって新たな事業が生まれれば、売上という「分母」を大幅に増やすのですから、それに対して「分子」であるコストのことばかり考えるのは、やっぱりおかしいでしょう。

これからの時代、ロボットをどんな用途に、どのタイミングで導入するかによって会社の業績は大きく変わってきますから、まさに経営手腕が問われるテーマといえます。そしてそこには、決まったマニュアルが存在しないからこそおもしろいのです。

第4章

身近なインフラから過酷な環境まで、広がるロボットの応用範囲

39 ロボットの活動領域の広がり

第3章で紹介してきたように、実用的なロボットは製造業向けの産業用ロボットとして発達してきました。しかし徐々に用途が拡大し、機能が多様化していくにつれて「工場以外でも活用できないか」という発想が生まれてきます。併行して産業用ロボット以外の分野でもRT（ロボットテクノロジー）の研究や開発が進みました。そして、そこで生まれた技術の一部も実用化されていきます。家庭で使われ始めるようになった掃除ロボットはその一例でしょう。

このように2つの潮流によって進歩してきたロボットですが、今後、さらなる用途の拡大が期待できるなか、「産業用ロボット／非産業用ロボット（サービスロボット）」という分類は意味をなさなくなってきているように感じます。なぜなら、すでに両方の技術を融合させたロボットがいくつも生まれているからです。そして最近では、ロボット以外の自動システムとの区分けも曖昧になりつつあります。

そんな変化を如実に感じられるのが自動倉庫でしょう。物流センターにおける入出荷作業の機械化は、産業用ロボットが登場する前の1950年代から進められ、やがてリフトやコンベアを完全にコンピュータで動かす無人倉庫として完成します。これは事実上「倉庫を丸ごとロボット化する試み」であるものの、手掛けたのが物流システムのメーカーであったことからロボット開発とは別の動きでした。しかし最近では、アーム式や直角座標式のロボットを組み合わせて倉庫の自動化を進めるケースや、自走式のロボットが倉庫内を駆け回りながら入出荷作業をするケースもあり、物流システムとロボットの区別はますますつけにくくなっています。

もっとも、これは当然の話で、ロボットは常に新しい技術を貪欲に呑み込みながら形を変えて進化していくものです。第4〜6章では、そんな次世代ロボットともいえる彼らの姿を紹介していきます。

要点BOX

- 産業用ロボットが非製造業に進出していく
- RTの進歩もロボットの拡散を後押し
- ロボットは形を変えながら進化していく

RTの進歩とロボットの活動領域の拡大

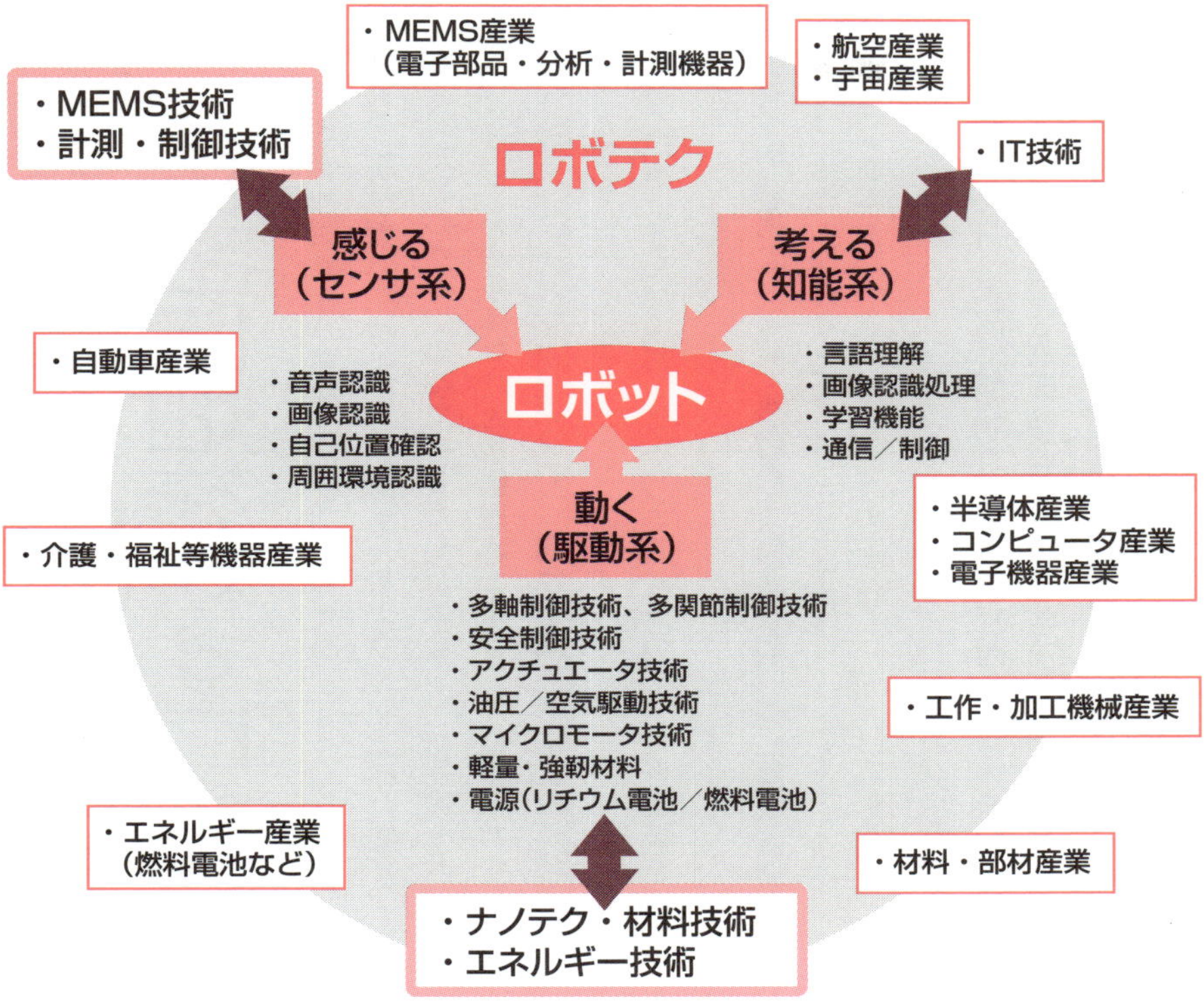

出典：「ロボット産業政策研究会 報告書」（経済産業省）

産業用ロボットによる倉庫の自動化の例

40 人工衛星との連携で精密に畑を耕すロボット農機

農業ロボット

農業人口の減少と従事者の高齢化という問題を抱える日本でも、農作業の機械化が強く望まれるようになってきました。しかし小規模で、しかも複雑な地形の農地が多いことから海外の大規模農業のように大型機械を導入するのは不可能であり、日本の農業事情に合った農機の開発が望まれていたのです。そして、ロボット技術はそんな課題を解決してくれる切り札になるかもしれません。

農業へのRTの活用としては、農機の自動走行の実現でしょう。農地の形状や条件に合わせて正確に移動してくれる機械があれば、農作業の自動化は一気に進みます。

このような発想から、米国で開発された全地球測位システム（GPS）を利用した自動走行実験は早い時期から行われていたのですが、山間地では補足できる衛星の数に限りがあることや、もともと精度に限界があることなどもあって十分な成果が得られませんでした。しかし、2010年の「みちびき」から打ち上げが始まった日本の準天頂衛星による測位システムが完成すれば、数センチメートル以内という正確さで位置がわかり、畝《うね》に沿って農機を走行させることが可能になるのです。すでに、北海道大学ではロボットコントローラを付けたトラクターで実際の農作業を行わせる実験を始めており、将来は田植えまで自動化しようとしています。

農林水産省でも「ロボット技術や情報通信技術（ICT）を活用して超省力・高品質生産を実現する新たな農業」をスマート農業と名づけ、実現を推進しており、今後の農業革命においてロボットの果たす役目は大きいようです。さらに新しい時代の農業として、ビルの中で農作物を育てる植物工場も注目されるようになってきました。もちろん、この場合でも作業の自動化にはロボットが欠かせず、農業とロボットとの関係はますます深まっていきそうです。

要点BOX

- ●日本の事情に合った農機をRTで実現
- ●国産測位衛星を利用して農機を自動走行
- ●農水省も農業のロボット化を強く推進

農業分野におけるICT、ロボット技術の活用例

●自動走行トラクター（北海道大学、ヤンマーなど）
耕うん整理を無人で、施肥播種を有人で行う「有人—無人協調作業」を実施

●自動運転田植機（クボタ）
監視者がほ場周辺にいる状態で、旋回も含めて自動で田植えを実施

●衛星リモートセンシングを活用したクラウド型営農支援サービス「天晴れ」（国際航業）
人工衛星が撮影したほ場の画像を解析し、農作物の生育状況を診断･見える化した

●農業用アシストスーツ（イノフィス、ATOUN、和歌山大学など）
空気の力で腰の負担を軽減。中腰姿勢での作業や収穫物の持ち運びなどさまざまな作業で活躍

出典：「スマート農業の展開について」農林水産省（2021年9月）

ロボットが変える未来の農業

無人トラクター

除草作業ロボット

パワーアシスト

GPS 自動走行システムなどの導入による農業機械の夜間走行

出典：「『スマート農業の実現に向けた研究会』検討結果の中間とりまとめ」（農林水産省）

41 遠隔操作から自動化へ、ますますロボット化する建設機械

農業と同様に人手不足が深刻化している建設業界でも、ロボットによる作業の効率化や自動化が重要な課題になってきました。この分野のロボット化は、大きく2つの方向で進行しています。

第一の方向性は建設機械の無人化です。一般的には2011年の東日本大震災による原発事故の際、瓦礫などの除去にリモコン操作式の油圧ショベルやブルドーザーが大量投入されたことが記憶に新しいところですが、普及のきっかけは、雲仙普賢岳噴火で発生した大規模の土石流災害の復旧工事として1994年から始まった「無人化施工」です。この技術は、安全な場所から建設機械をリモコン操作して作業を行うものです。ただ、カメラ映像などを見ながら操作するため、機械に搭乗して操作する場合に比べて作業効率が3〜5割程度に下がってしまいます。

そこで多くの作業を自動化し、建機が自分で状況判断しながら自律的に動けるような改良が進められてきました。鹿島が開発した「A^{4}CSEL（クワッドアクセル）」というシステムは、建機の自動・自律運転を実現しています。2015年の福岡県の五ケ山ダム堤体建設を皮切りに3つのダム現場に採用され、秋田県の成瀬ダム堤体打設では自動化重機を最大23台規模で適用するなど、作業の効率化に向けた建機のロボット化は確実に進行しています。

第二の方向性は、より高性能な建機の開発です。代表的なのが日立建機の双腕仕様機シリーズで、2本の腕を持たせることにより「つかみながら切る」「支えながら引っ張り出す」「長いものを折り曲げる」など作業の多様化と、四脚が独立して上下する機構で凹凸のある路面でも高い安定性を実現します。建設以外にもリサイクルや危険物処理、災害救助での利用を想定したものです。同社製双腕仕様機は「機動戦士ガンダム」をイメージして開発されたそうで、その形状はまさにアニメの巨大ロボットさながらです。

要点BOX

- 噴火や原発事故の災害で活躍する無人建機
- 遠隔操作から自動操作への進歩で効率向上
- 「ガンダム建機」などRTが建機を変える

A^{4}CSELを導入し建設機械の自動運転指示を送る管制室

写真提供：鹿島建設

管制室からの指示で複数の重機が連携して作業

写真提供：鹿島建設

四脚クローラ方式双腕型コンセプトマシン

写真提供：日立建機

42 家庭用だけでなく高機能の業務用ロボットクリーナーへの期待

家庭用の掃除ロボットは、すでによく知られる存在ですが、最近ではより高機能の清掃ロボットが開発され、公共施設などで活躍しています。

ロボットクリーナーの発想は早くからあり、床面を自走するものとしては1985年のつくば科学万博（国際科学技術博覧会）で展示された「クリーナーシャーク」という試作品が最初だといわれています。そのころから業務用と家庭用の2つの方向で製品化が進められていったものの、機能とコストの関係から実用性が高いのは業務用ロボットでした。

たとえば、2001年に富士重工業と住友商事によって開発された「ロボットによるビルの清掃システム」は、ロボットが自律走行しながらフロアの清掃をしていくだけでなく、ひとつの階が終わると自らエレベーターを操作して他の階に移動して作業を継続するという画期的なものでした。そうした利便性が受け入れられ、晴海トリトンスクエアや六本木ヒルズ、新宿Lタワーなど多くの高層ビルに導入されたほか、中部国際空港でも活躍しています。

なお、当初のシステムは廊下やエレベーターホールといった共用部の清掃のみに対応したものでした。それが、2009年にはデスクが並ぶ執務エリアも清掃できる「オフィスエリア清掃ロボットシステム」へと進化し、さらに活動の場を広げました。

2020年3月に暫定開業したJR東日本の高輪ゲートウェイ駅では、「半世紀ぶりの山手線の新駅」ということもあり、新しいサービス設備の導入実証実験が積極的に行われました。中でも話題になったのが、消毒作業を自動的に行う清掃ロボットでしょう。マッピングした情報をもとに自律移動し、手すりやベンチなどに霧状にした消毒剤を噴霧する機能をもっています。実験は終電後の夜間に行われたものの、人や障害物を自動的に避ける機能も搭載されているので、将来的には日中の使用も検討されています。

要点BOX

- 30年前からあった清掃ロボット
- フロアを移動しビルの全館を清掃
- コロナ禍に対応した消毒ロボットも

清掃ロボットの歴史

1979年	任天堂がリモコン操作式の無線クリーナー「チリトリー」を発売。機能としてはラジコンのおもちゃに簡単な掃除機を組み合わせたものだった
1985年	つくば科学万博で「クリーナーシャーク」展示 メチルアルコールを燃料としたエンジンで動く自走式の掃除機で、鮫のような格好をしていた
1986年	オートマックスが稼動中の原油タンク内を自動的に清掃できるロボットを世界に先駆け開発
1997年	ミノルタが自律移動清掃ロボット「ロボサニタン」を発表。今の清掃ロボットの原形ともいえる発明で、開発者はその後も清掃ロボットの開発を進めた
1997年 3月	アイロボット（米国）が「ルンバ」のプロトタイプを発表
2001年 4月	富士重工業と住友商事が「ロボットによるビルの清掃システム」実用化に成功。晴海トリトンスクエアに導入されて話題となる
2001年 11月	エレクトロラックス社（スウェーデン）が家庭用掃除ロボット「トリロバイト」を欧州で発売。日本では2002年10月に東芝がOEM販売したが、ルンバのように話題にはならなかった
2002年 9月	ケルヒャー社（ドイツ）が家庭用掃除ロボット「RC3000」を欧州で、アイロボット社が「ルンバ」を米国でそれぞれ販売を開始
2004年	アイロボット社の「ルンバ」が日本でも販売開始された
2005年 5月	フィグラ（日本）が「フィグラ・アイ」をEXPO2005愛・地球博に展示。 2009年製品化された。開発者は「ロボサニタン」も手掛けた川越宣和氏
2006年	四柳（日本）がプール掃除用ロボット「ハイパーロボMRX-06」を販売開始
2009年 11月	富士重工業と住友商事が「オフィスエリア清掃ロボットシステム」を実用化
2009年 10月	フィグラの「エフロボクリーン」（旧名称フィグラ・アイ）が販売開始
2014年 9月	東芝が完全自社開発の「TORNEO ROBO（トルネオ ロボ）」をシリーズ発売した
2016年	村田機械が自律走行式ロボット床面洗浄機「Buddy」を日本国外で販売
2018年	関西国際空港がロボット床洗浄機「Neo」を導入
2020年	JR東日本が新しく開業した高輪ゲートウェイ駅で自律走行式消毒ロボットの実証実験を行う

43 ロボットだから巨大なインフラを隅々まで調査できる

点検・保守ロボット

新しくロボットを導入する理由として、業務の自動化・省人化・効率化・高品質化が一般的ですが、ほかにも「ロボットにしかできない仕事をさせる」というケースもあります。橋梁やダム、トンネルなど、巨大なインフラストラクチャーの点検・保守は、まさにそれにあたるでしょう。

日本では１９６０年代から70年代にかけての高度成長期に、道路橋や道路トンネル、河川管理施設、下水道、港湾岸壁といった社会インフラを集中して建設してきました。このため、半世紀以上経った現在ではその多くが老朽化し、補修の必要に迫られているのです。

ところが、大型の建造物は全体を把握するだけでも負担が大きいうえ、人が近づこうにも容易に足場を組めないケースが多々あることから、点検・保守用ロボットの活躍が期待されているのです。このような要望を受けて、経済産業省と国土交通省では２０１３年から次世代社会インフラ用ロボット開発・導入検討会を設置し、それ以降は普及に向けた支援を続けています。

２０１８年に開かれた検討会で高い評価を受けた事例をいくつか紹介しましょう。たとえば橋梁の点検では、ドローンのようなマルチコプターシステムが数多く開発され、一部では現場への導入が始まっています。このほか、トンネル内を走行しながらコンクリートの劣化状況をセンシングするロボットや、水中で移動しながらダムの健全性を検査するロボットなど、活動領域を広げる研究が進められているのです。

日本国内のインフラの維持管理・更新費用は年間約４兆円にのぼり、今後も増加傾向にあるといわれます。したがって、もし新しいロボットによってこの金額を減らせるのであれば、その効果に見合った開発コストを確保できることになり、ロボットの進歩にも大きく貢献するはずです。

要点BOX

- ロボットにしかできない仕事があるはず
- 老朽化したインフラの点検・保守はその典型
- 国交省が次世代社会インフラ用ロボットを支援

建設後50年以上経過する社会資本の割合

	2018年3月	2023年3月	2033年3月
道路橋 ［約73万橋（橋長2m以上の橋）］	約25%	約39%	約63%
トンネル ［約1万1千本］	約20%	約27%	約42%
河川管理施設（水門など） ［約1万施設］	約32%	約42%	約62%
下水道管きょ ［総延長:約47万km］	約4%	約8%	約21%
港湾岸壁 ［約5千施設（水深−4.5m以深）］	約17%	約32%	約58%

出典:「国土交通白書2020」、国土交通省

有用度が高いと評価された次世代社会インフラ用ロボット

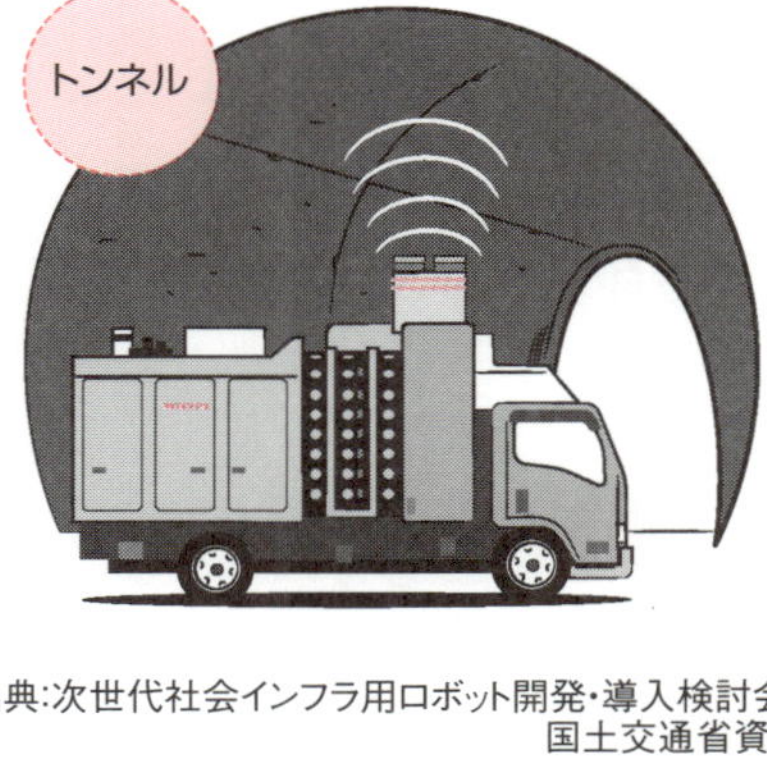

出典:次世代社会インフラ用ロボット開発・導入検討会、
国土交通省資料

44 技術競技会まで開かれる注目分野

災害対応ロボットとは、さまざまな自然災害や大規模な事故などが起きたとき、人が立ち入れない危険な現場で調査・復旧作業を行う、特殊任務に特化したロボットのことをいいます。自然災害による被害の多い日本にとっては非常に重要な分野であり、前項で紹介した次世代社会インフラ用ロボット開発・導入検討会でも多くのプロジェクトを支援するなど、官民一体となった研究・開発が進んでいるのです。

そんな成果を評価する場として注目を集めたのが、2020年に福島県で開催されたWRC（World Robot Challenge）でした。経済産業省と国立研究開発法人新エネルギー・産業技術総合開発機構（NEDO）が主催した国際的なロボットの競技会であるWorld Robot Summitのイベントとして、災害対応ロボットによる競技会が開かれたのです。

種目のうち、災害対応標準性能評価チャレンジでは、災害現場を想定した障害物のあるフィールドを、自律制御あるいは遠隔操縦により踏破する能力が競われました。さらに、内部に設置されたメーターを調べ、異常値であればバルブを操作して調整するといった作業や、空間全体のマッピングといった、かなり高度なミッションも行わなければなりません。

他にも、トンネル事故災害対応・復旧チャレンジ、プラント災害予防チャレンジといった現実的な課題に即した競技種目もあり、白熱した戦いが繰り広げられました。このような競技会は欧米などでも開かれており、世界的な関心の高さがうかがえます。

災害対応ロボットの目指すゴールは、人命救助に直接、携わるレスキューロボットの実現です。そこに到達するには、現状把握、状況判断と適切な対応、そして、非常に高いレベルの安全対策など、数多くの要素技術が求められます。それだけに、多様な企業や研究機関が力を合わせ、総合的な災害対応ロボット技術を完成させていく必要があるのです。

要点BOX

- ●災害現場で調査・復旧を行う特殊任務ロボ
- ●災害現場を想定した場所で行われる競技会
- ●人命救助まで行うレスキューロボットの実現へ

WRS2020福島大会競技内容

●プラント災害予防チャレンジ

建設年が古く、老朽化した稼働中プラントでの日常点検や検査、異常発生時の緊急対応が競技テーマ。設備・構造物に対する日常点検・健全性評価診断作業の無人自動化を目指す競技

●トンネル事故災害対応・復旧チャレンジ

トンネル災害に対応する世界初の競技。トンネル災害の予防点検、緊急時の情報収集、対応などのシミュレーションタスクを設定

●災害対応標準性能評価（STM）チャレンジ

プラント災害予防チャレンジ、トンネル事故災害対応・復旧チャレンジのルールから、インフラ・災害対応特有の標準性能試験法（STM）を抽出し、災害予防・対応で必要となる標準性能レベルを評価する

WRS2020福島大会種目別順位

順位	チーム名	所属国・地域	所属
プラント災害予防チャレンジ			
1	Quix	日本	東北大学大学院情報科学研究科
2	SHINOBI	日本	京都大学／東北大学
3	Raptors	ポーランド	Lodz University of Technology, Institute of Automatic Control
トンネル事故災害対応・復旧チャレンジ			
1	TEAM-TNK-ROS	日本	筑波大学
2	MASARU Season 3	日本	プライベート
3	REL-UoA-JAEA	日本	会津大学
災害対応標準性能評価（STM）チャレンジ			
1	CIT_Rescue	日本	千葉工業大学
2	MISORA	日本	南相馬ロボット産業協議会
3	REL-UoA	日本	会津大学

災害対応標準性能評価チャレンジで優勝した千葉工大のロボ（WRS2020福島大会）

災害対応標準性能評価競技会場（WRS2020福島大会予選）

45 事故後の原発所内で調査や除染作業に活躍

災害対応ロボット2

　災害対応ロボットの重要性に気づかせ、その進歩を促したのが、2011年の東日本大震災のときに発生した福島第一原子力発電所の事故でした。高い放射性物質が放出され、人が踏み入ることのできない炉内で、安定化や除染、さらには今後の廃炉に向けた仕事を行うにはロボットが欠かせません。しかも、遠隔操縦あるいは自律走行によって建物内を移動しながら、必要な作業をこなしていかなければならず、技術的には課題の連続でした。

　このときの作業は地下階部分と1階以上とで大きく異なり、地下階では漏洩水に関する調査が中心です。このため、格納容器の下部外面や建屋壁面の貫通部などを調べるクローラ式の自走ロボットが導入されました。また、調査区域を広げる目的から水上を移動できるボート式ロボットや、多くの管が配置されているところまで入り込める四足歩行ロボットといった画期的な機種まで投入されています。一方、地上フロアでは調査に加えて除染活動が行われており、導入されるロボットもさまざまです。たとえば、研磨材を圧縮空気で吹き付けてから粉塵を回収する吸引・ブラスト除染ロボットや、水の代わりにドライアイスの粉末で洗浄するドライアイスブラスト除染ロボット、さらには建設ロボットの項で紹介した双腕仕様機も瓦礫除去に活躍しています。

　なお事故直後の内部調査において、米国アイロボット社の軍用ロボットを採用されたことから「日本のロボットは負けているのでは?」と勘ぐる人がいました。しかし、そのときは適用する作業に近い分野で実績のある機種を最初に選んだだけで、すぐに日本製のQuinceも投入されていますし、先ほど紹介した作業用ロボットの大半は日本のメーカーが開発したものです。国内で原発事故を想定したロボット開発があまり行われていなかったのは事実ですが、今では日本の技術が十分、期待に応えているのです。

要点BOX

- ●調査や除染作業用ロボットの開発が急務に
- ●作業の内容にあわせて多様なロボットが投入
- ●作業用ロボットの多くは日本のメーカーが開発

福島第一原子力発電所で活躍するロボット

1階以上

原子炉格納容器内部調査装置(形状変形型ロボット)

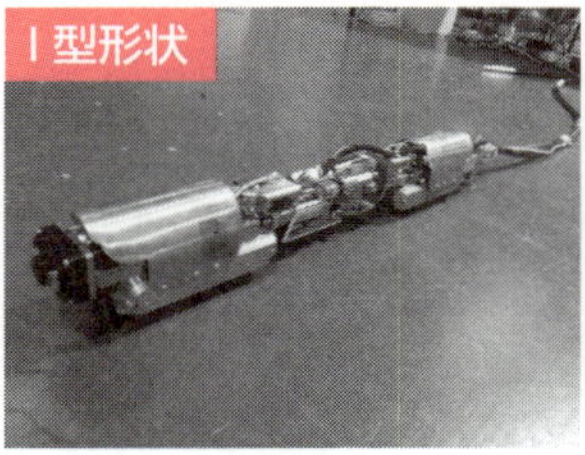

1号機原子炉格納容器内の1階グレーチング上の調査を実施

資料提供：国際廃炉研究開発機構、日立GE

カニクレーン

原子炉建屋内1階高所部線源調査を実施

資料提供：日立GE

地下階

サプレッションチェンバー下部外面調査装置(SC-ROV)

サプレッションチェンバー下部外面の調査を実施

資料提供：国際廃炉研究開発機構、東芝

トーラス室壁面調査装置　水中遊泳ロボット(げんごROV)・床面走行ロボット(トライダイバー)

原子炉建屋とタービン建屋の壁面貫通部の調査を実施

資料提供：国際廃炉研究開発機構、日立GE
出典：東京電力ウェブサイト

内部探査で活躍した日本のQuince

Quince(クインス)は国際レスキューシステム研究機構(IRS)と東北大学、千葉工業大学によって開発された災害対応ロボットで、1号機が福島原発の内部探査に投入されました。最新の機種では災害で閉鎖した地下街や半倒壊した建物の内部を半自律操縦支援システムによって走行し、小型複眼カメラシステムなどを駆使することで3次元計測と3次元地図の作成を行います。

資料提供：千葉工業大学 未来ロボット技術研究センター

46 警備員と連携しながら犯罪防止に努めるパトロールロボット

パトロールをするロボットといえば、まるでSF映画のイメージですが、実際にはすでに多くの警備ロボットが空港や駅、商業施設、オフィスビルなどで活躍しています。ここでは、セコムが2021年6月に開発を発表したセキュリティロボット「cocobo」に搭載されている機能を紹介しましょう。

①自律走行と自動充電

カメラ映像とセンサ情報に基づき自律走行し、障害物も検知して衝突を回避します。

②放置物検知

カメラとセンサ情報をAI解析し、一定時間以上、放置されている荷物などを検知します。

③滞留・転倒者検知

同じ場所に長く止まる滞留者や、動けない転倒者を検知することで事件や事故を未然に防ぎます。

④異常音検知

爆発音や悲鳴など大きな異常音を検知します。

⑤ガス・火災検知

ガスセンサによるガス漏れ検知、熱画像センサによる火災検知が可能です。

⑥警告・威嚇

音や光による警告、煙による威嚇などができます。

⑦注意喚起・案内

LEDディスプレイや音声を使った災害情報などの提供や、施設案内など警備以外の業務も行います。

⑧点検業務

アーム（マニュピュレータ）の装着が可能で、熱画像センサやカメラを搭載したアタッチメントを先端に装着すればゴミ箱の点検も行えます。

⑨クラウド連携機能

建物内の監視カメラや電気設備、施設や地域の情報などを共有できます。エレベーターとの連携により複数階を自動で巡回するなど、より高度な警備業務が可能です。

要点BOX

- ●AI解析で放置物や転倒者まで検知
- ●アームを着ければ危険物の点検も可能
- ●監視カメラや館内設備との連携機能も

装着したアームで点検業務

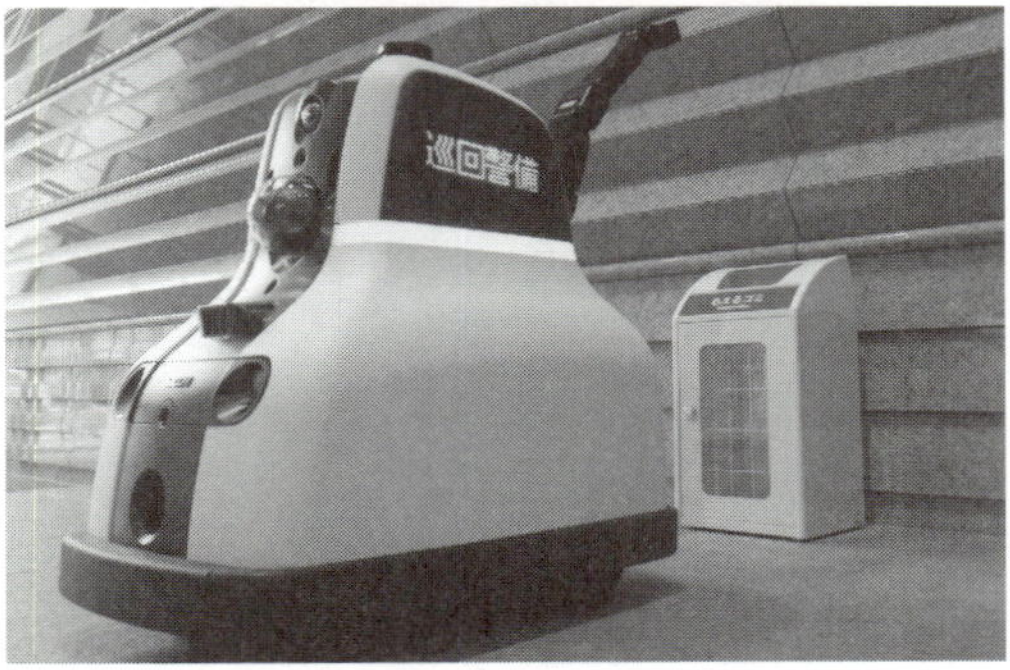

不審者に対して煙で威嚇

cocoboのスペック

サイズ	(W)700mm×(D)1,200mm×(H)1,250mm
重さ	約160kg
移動速度	最大時速6km
走行可能距離	約12km(3時間)
アーム	全長978mm(上下100mm の昇降機能あり) 【交換アタッチメント】 ・ゴミ箱点検時:ステレオカメラ、熱画像センサー、照明用LED ・施錠確認時　:スーパーマルチハンド、照明用LED
各種センシング	3D-LiDAR(3Dレーザースキャナー)、2D-LiDAR(2Dレーザースキャナー)、ステレオカメラ、ToFカメラ、超音波センサー、バンパーセンサー、PSDセンサー(光位置センサー)、熱画像センサー、ガスセンサー、全方位カメラ、PTZカメラ
威嚇機能	音声、ヘッドライト、発煙装置
遠隔通話	マイク、スピーカー(管制員との音声通話)
表示機能	高輝度LEDディスプレイ、状態表示LED
通信機能	Wi-Fi、LTE、5G対応

資料提供 :セコム

47 宇宙ステーションのロボットアームから月面探査車まで

ロケットや人工衛星、さまざまな探査システムなどの宇宙機器は、有人のものを除けばすべて遠隔操作か自律制御によって動作させるしかなく、実質的にはロボットの一種といえます。しかし一般に宇宙ロボットという場合には、スペースシャトルや宇宙ステーションに搭載されたアーム型のマニピュレータや月面あるいは火星探査車などのことを指すようです。

宇宙ロボットは、ほぼ真空という過酷な宇宙空間にも耐えなければなりません。特に問題になるのは潤滑で、通常のオイルでは蒸発してしまうため、粘性の強いグリース状のものや固体潤滑剤を使うなど、トライボロジーに関する高度な技術が必要です。また地球周回軌道を回る人工衛星では、最高２００℃から最低マイナス１５０℃までの大きな温度差や大量に降り注ぐ放射線に耐える強靭さをもっていることが条件であり、設計思想は地上のものとはまったく異なります。

もうひとつ、有人宇宙船に搭載されるロボットでは安全対策も非常に厳しくなります。なぜなら宇宙空間では、機器類のちょっとした衝突が重大事故につながる可能性を否定できないためです。そのため、乗組員がマニピュレータの操作を誤っても絶対に暴走しないように、何重もの保安システムを構築しているのです。

宇宙ロボットといえば旧ソ連やロシア、米国のものが有名ですが、日本も国際宇宙ステーション（ＩＳＳ）では「きぼう」と名づけた宇宙実験棟を提供しており、ここには船外でさまざまな作業を行うための装置がついています。たとえばロボットアームは大小２つあり、日本の宇宙補給機ＨＴＶ（こうのとり）のドッキングにも使われました。

宇宙航空研究開発機構（ＪＡＸＡ）では将来に向けて月面探査車ルナローバの研究・開発も進めており、この分野でも高い技術を確立していこうとしています。

要点BOX

- 宇宙機器は高度なロボット技術が必要
- 真空や温度差に耐え、安全対策も重要
- 日本でも多くの宇宙ロボットが開発中

宇宙ロボットの分類

	軌道上ロボット	探査ロボット	宇宙飛行士 支援・代替ロボット
概要	宇宙ステーションやシャトル、人工衛星などに搭載されるロボットアームなど	ロケットで月や火星、小惑星などの天体に送り込まれ、自動または遠隔操作で作業を行う機器	宇宙ステーションや宇宙船に搭載され、飛行士に代わって実験や点検・保守作業を行う機械
用途	大型衛星の操作（放出、捕獲）、宇宙ステーションの組立保守などを行う	天体の探査に使われる車両（広義には探査船や探査衛星なども含む）	現在ではさまざまな業務支援機器やシステムが搭載されているが、将来的には軌道上あるいは月面で大型衛星の組立や保守、故障した衛星の捕獲修理などを行うロボットの開発が計画されている
実用例	スペースシャトル搭載マニピュレータ（カナダ、1981 年初飛行）、国際宇宙ステーション搭載マニピュレータ（カナダ、2001 年打ち上げ）、おりひめ・ひこぼし搭載ロボットアーム（日本、1997 年打ち上げ）、国際宇宙ステーションきぼう搭載ロボットアーム（日本、2008 年打ち上げ）など	ルノフォート（旧ソ連の無人月面探査車、1970 年、1973 年）、ルナビークル（米国の有人月面探査車、1971 ～ 1972 年）、ソジャーナ（米国の火星探査車、1997 年打ち上げ）、オポチュニティ（米国の火星探査車、2004 年打ち上げ）など	高出力精細ロボットハンドの開発や有人船外活動（EVA）支援ロボットの実証実験（REXJ プロジェクト）が JAXA でも進められており、実用化が期待される
技術の特徴	真空、熱、放射線など宇宙環境への耐性。ペイロードの確実な把持操作を実現するため誤放出の回避など強固な安全システムが必要	砂に覆われ、クレーターなどの凹凸もある月面などで確実に踏破する機能の開発、昼夜の温度差への対応など	宇宙飛行士と同様に宇宙空間を移動し、宇宙飛行士並みに作業を行う能力が必要。今まで以上の厳しい安全対策も不可欠

出典：宇宙航空研究開発機構（JAXA）のウェブサイトなどをもとに作成

国際宇宙ステーション日本実験棟「きぼう」

日本初の有人宇宙施設となる「きぼう」は国際宇宙ステーション（ISS）の中で最大の実験モジュールで、船内実験室に加えて宇宙空間に曝露している船外実験プラットフォームを備えているのが大きな特徴です。船外では微小重力や高真空などの特殊な環境を利用して観測や実験、材料の試作などが行えます。

資料提供：JAXA

48 電波の届かない海の中を自走するにはロボット技術が欠かせない

海洋ロボット

水産資源や海底のエネルギーおよび鉱物資源などの探査には、深海にも到達できる潜水艇が欠かせませんが、最近では無人のロボット探査機が数多く開発され活躍しています。

たとえば日本の深海巡航探査機「うらしま」は、1998年から海洋研究開発機構（JAMSTEC）で開発が続けられている自律型の深海探査ロボットで、内蔵したコンピュータによりあらかじめ設定されたシナリオに従って自分の位置を計算しながら航走することができます。2005年には、世界記録となる連続航走距離317キロメートルを達成しました。最大使用深度は3500メートルにも及び、さまざまな探査機器を搭載して海底資源の調査や地震の発生メカニズムの研究などを行うのです。

「うらしま」のように自律的に航行し、自動観測する自律型無人探査機をAUV（Autonomous Underwater Vehicle）と呼びます。JAMSTECでは他にも「じんべい」「おとひめ」「ゆめいるか」という深海巡航探査機をもち、ロボットによる深海探査を進めています。

これに対して、遠隔操作無人探査機はROV（Remotely Operated Vehicle）と呼ばれ、明確に区別されています。ROVは母船などとケーブルでつながっており、電力供給や操縦が母船からできる一方、行動範囲が限られます。したがって、より広いエリアを探査するには必然的に自律型ロボットの技術が必要になってくるのです。

海外のAUVでは、米国ウッズホール海洋研究所が開発した自律型水中環境モニタリングロボットREMUSシリーズが有名です。最小のモデルは人の背丈ほどの大きさでありながら、水深100メートルまでを最長22時間自動航行し、さまざまな観測をします。世界中で環境調査などに使われており、もっとも成功したロボット商品のひとつといえるでしょう。

要点BOX

- ●水産資源や海底資源の探査はロボットで
- ●電波の届かない水中だから自律型が必須条件
- ●日本は多くのAUVをもつ海洋ロボット大国

深海巡航探査機「うらしま」

最大使用深度	3,500m
航続距離	100km 以上
寸法	10m（L）× 1.3m（W）、1.5m（H）
重量	約 7 トン
速力	0 ～ 3.0 ノット
動力源	リチウムイオン電池
運用方式	自律航走、音響遠隔制御（無索、母船追従）
調査機器	マルチビーム音響測深機 サイドスキャンソーナー サブボトムプロファイラ CTD

資料提供 :海洋研究開発機構

次世代型巡航探査機（AUV）の開発領域

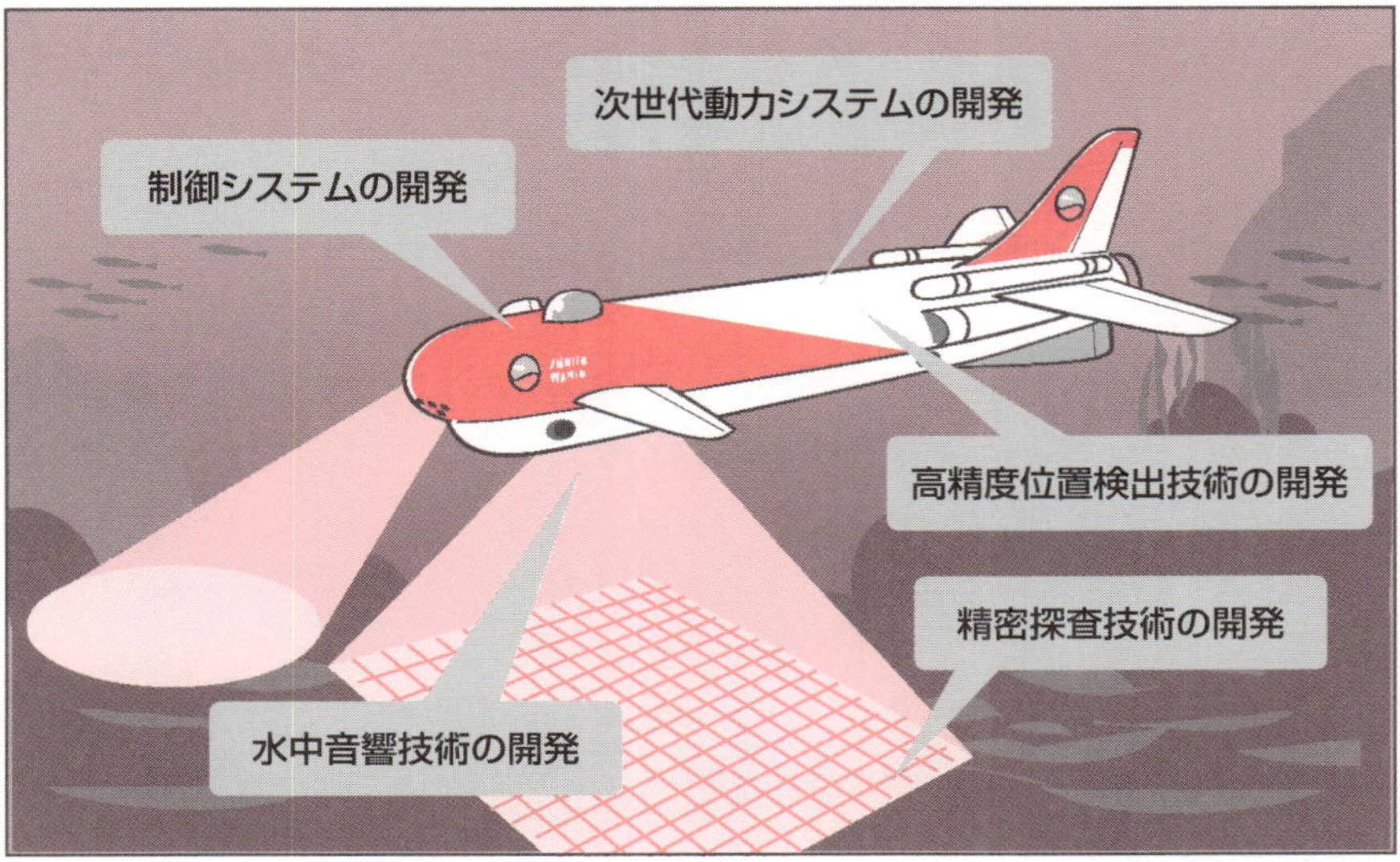

資料提供 :海洋研究開発機構

Column

ロボット開発者になるには要素技術をしっかり学ぼう

最近では、ロボットを専門的に扱う講座や研究室を設置する大学が増えてきました。ロボット工学は幅広い分野を総合的に学習できるのに加え、開発作業を通して実務的な技術も身につくことから、専攻した学生に対して即戦力として期待する企業は少なくないようです。ある機械メーカーの人事担当者はこんなことをいっていました。

「新しいロボットの開発は失敗の連続であり、試作機が一発で動くことは、まずありません。そういった苦労を経験してきた学生のほうが打たれ強く、エンジニアに向いている気がしますね」

ただし、これにはまったく正反対の考え方もあります。あるロボット技術者の意見です。

「長くロボット開発に携わりたいのなら、学生時代にはあえて他の専門分野を集中的に学んだほうがいいと思いますね。ロボットはさまざまな要素技術の結晶ですから、開発チームも多彩なスペシャリストたちの集団になります。その中で力を発揮していくには、やはり何かしらの専門をもっているほうが有利なのです」

たしかに、ロボットに特有の知識は就職してからの実務経験を通して身につけることができます。しかし、科学や技術の基礎は学生のうちにしか学べないのですから、それに集中したほうがいいというアドバイスなのでしょう。

ロボットの定義が難しいように、ロボットに向く人材についても多様な解釈があるのかもしれません。ただしロボットの研究・開発プロジェクトには、スペシャリストからゼネラリストまでさまざまなタイプの人がメンバーとして加わっているケースが多いので、誰にでもチャンスはあると思います。大切なのはロボットに対する情熱と、常に努力を怠らないという真摯な姿勢なのではないでしょうか。

第5章

医療・福祉分野で活躍するロボット

49 ロボットアームの操作で治療する手術支援ロボット

医療用ロボット1

医療分野へのロボット技術の応用として、すでに多くの実績をもつのが手術支援ロボットです。世界で最初に実用化された米国インテュイティブサージカル社の「ダ・ヴィンチ（da Vinci Surgical System）」を例に、その仕組みを紹介しましょう。

ロボットといってもマシンが自動的に手術をするのではなく、コントローラの前に座った医師が遠隔で3本のマニピュレータを操作し、治療を行います。従来の開腹手術と異なり、内視鏡と手術道具が通る穴だけをあければいいので患者への負担は低く、痕も目立ちません。またマニピュレータは「毛筆で米に字を書くこともできる」レベルで、精密に動かせることに加え、振動を抑える装置なども組み込まれているため医師が自らメスを握るより安全なのです。

ダ・ヴィンチの開発が始まったのは1980年代末で、当初の目的は、世界各地に派遣されている米軍の兵士に負傷者や急病人が出たとき、本土または空母などに待機する医師が遠隔操作で治療を行うためでした。しかし、運用を始めてみると、ロボットによる正確な手術が評価されるようになり、日本を含めた多くの病院に採用されていったのです。

それに伴い、他のメーカーでも手術支援ロボットの開発が始まりました。国産初の製品としては、川崎重工業とシスメックスの合弁会社であるメディカロイドの「hinotori™サージカルロボットシステム（ヒノトリ）」が有名です。主な特長は、あまり広くない手術室でも使えるようにコンパクトに設計されている点です。また、内視鏡や鉗子などがついた4本のアームはそれぞれ一般的なロボットよりも多い8軸で構成されており、人の腕のようななめらかな動きを実現しています。

2020年12月に初めての手術（前立腺を全摘）に成功したことで、ダ・ヴィンチに次ぐ新たな手術支援ロボットとして注目を集めており、今後は海外も含めた事業展開が期待されています。

要点BOX

- ●1980年代に開発が始まった手術支援ロボット
- ●人の手より正確で安全な手術が可能
- ●ダ・ヴィンチ一強時代に挑む日本のhinotori

手術支援ロボット「ダ・ヴィンチ」(米国)による効果

	開放手術	鏡視下（腹腔鏡下）手術	ダ・ヴィンチ手術
手術時間	短い 腹腔鏡下より短い	長い	中間 腹腔鏡下より短い
熟練に要する時間	ダ・ヴィンチと同等	長い	開放と同等
手術中の出血量	多い	少ない	極めて少ない
手術後の尿失禁	少ない	少ない	少ない
手術後の勃起機能	ほぼ同等	ほぼ同等	ほぼ同等
入院期間	ほぼ同等	ほぼ同等	ほぼ同等
社会復帰	遅い	早い	早い
技術の難易度	腹腔鏡下より低く ダ・ヴィンチと同等	難しい	腹腔鏡下より低く 開放と同等
手術の操作性	普通	難しい	良好

資料提供：東京医科大学病院

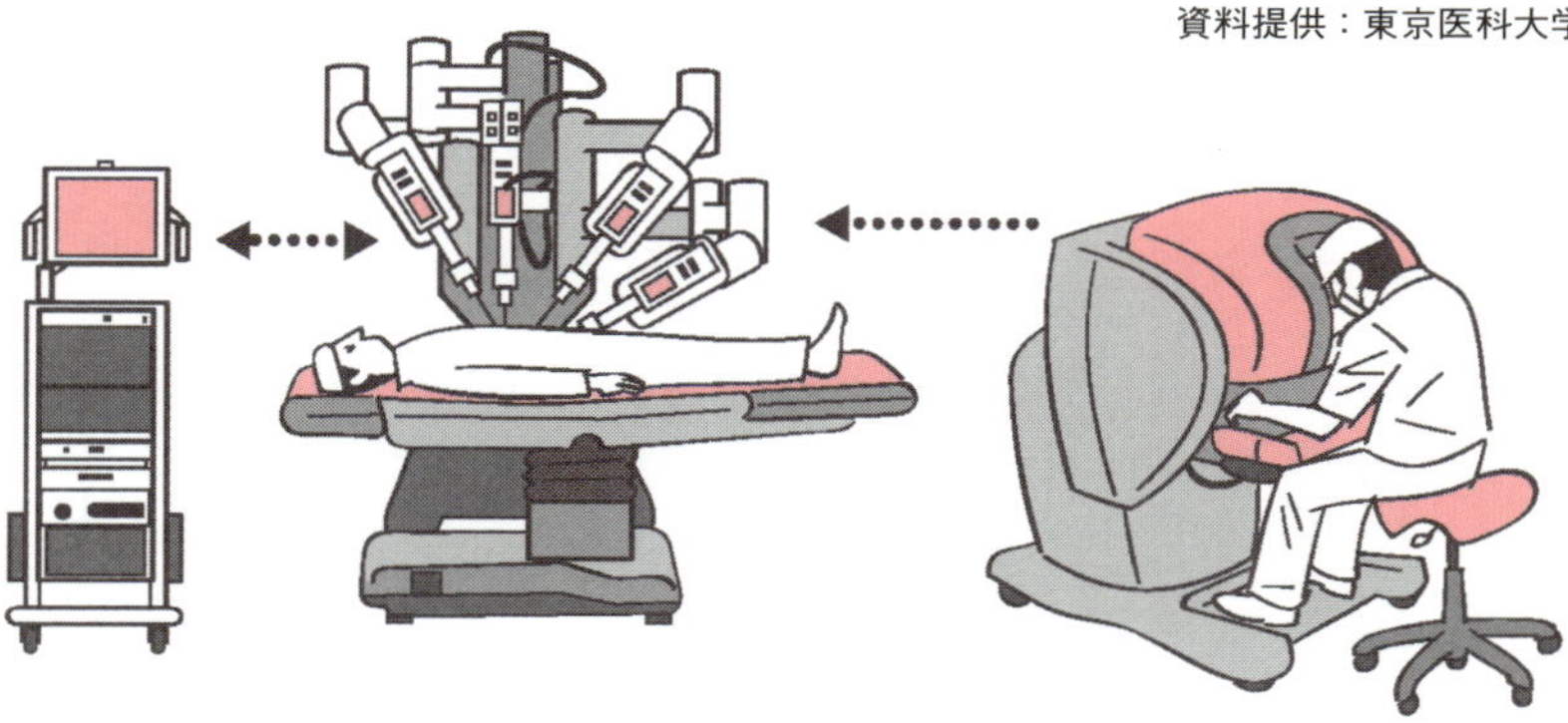

国産初の手術支援ロボットシステム「hinotori」

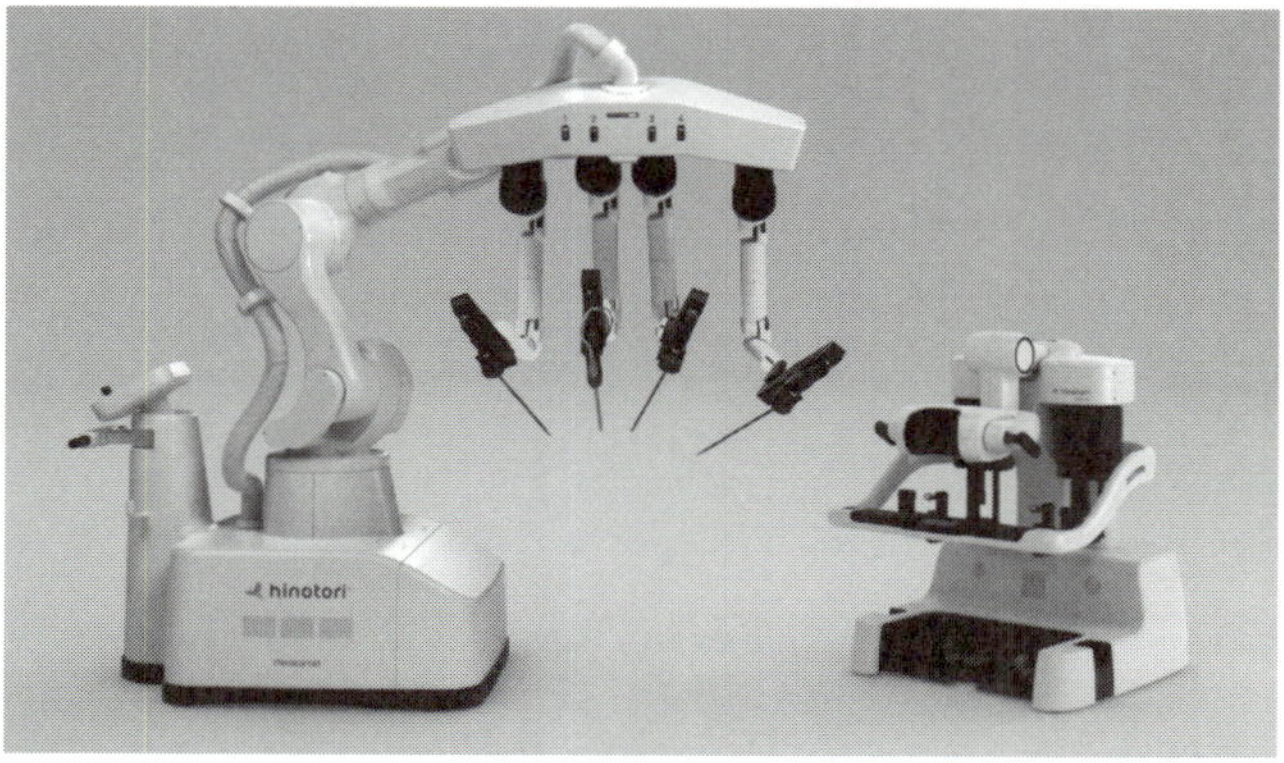

写真提供:株式会社メディカロイド ©Tezuka Productions

50 病院の中を自動的に歩き回って薬品や検体を運ぶ搬送ロボット

医療用ロボット2

病院では、治療や看護に付帯したさまざまな業務が発生します。たとえば薬剤や検体の搬送は、患者一人ひとりの事情に合わせて個別に行わなければならないため、膨大な手間がかかります。そのせいで、スタッフが本来の仕事に専念できなくなることもあり、特に人手の少ない休日や夜間には大きな問題となっていました。病院内搬送ロボットはこのような作業を自動化し、院内業務の効率化を図る専用ロボットです。その働きぶりを、パナソニックが開発したＨＯＳＰＩ（ホスピー）で紹介しましょう。

ＨＯＳＰＩは、従来の搬送ロボットのように走行経路を示すガイドを必要としません。あらかじめ記憶した地図情報に基づいて走行するため、新たな工事をしなくてもすぐに導入できるのです。また、エレベーターへの自動乗降機能があり、多層階の施設でも問題ありません。

さらに、病院という特殊な環境で運用されることから、高度な障害物検知センサシステムを備えています。細い点滴台や背の低い歩行器なども検知し、周囲の状況に応じてスピードや進路を変更できるのです。車椅子の人に遭遇したときには減速するとともに、スペースがあれば進路を変更し、道を譲るといった細かい配慮ができ、親しみを感じる患者も少なくありません。搬送する薬品や検体、カルテなどは、ＩＤカードをもった指定されたスタッフだけが取り出せるようになっているため、セキュリティも確保できます。

同様な機能のロボットとしては、村田機械（ムラテック）の全方向移動自律搬送ロボット「MKR-003」もあります。空港や駅など公共施設で利用できる汎用型として開発されましたが、病院での使用に対応した機能の搭載により実証実験事例を多数蓄積しました。また、搬送カートの下に潜り込んで持ち上げ搬送するロボット「MoCS」も開発・発売し、フレキシブルな搬送を実現しています。

要点BOX

- ●薬品や検体を自動で運び院内業務を効率化
- ●地図を記憶し院内を自律的に走行
- ●高度なセンサ技術により安全と安心を実現

病院内自律搬送ロボットHOSPI®

写真提供：パナソニック株式会社

自律搬送ロボットMKR-003

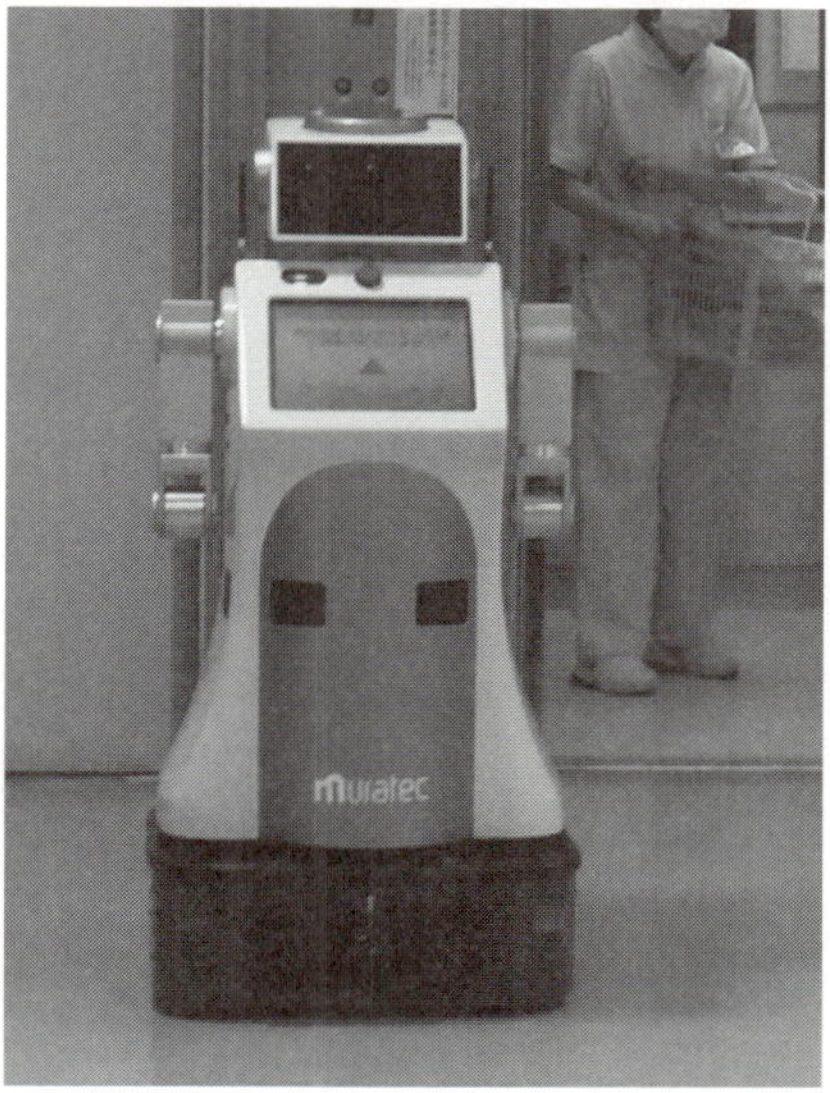

写真提供：村田機械

病院向けロボット台車搬送システム「MoCS」

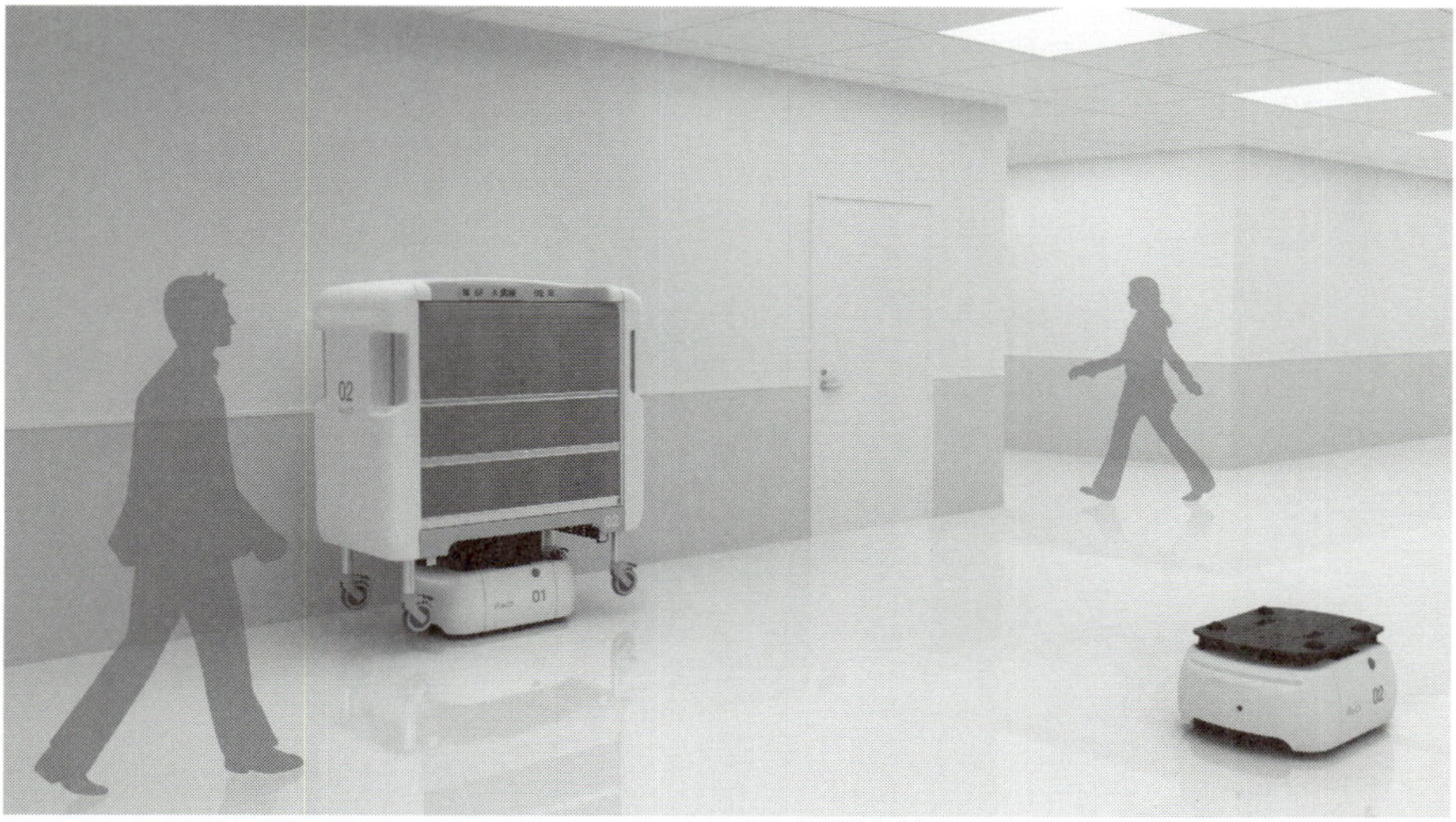

写真提供：村田機械

51 車いすやパーソナルモビリティが移動支援ロボットに進化する

加齢や病気などの理由で今まで通りに行動できなくなったとき、サポートしてくれるロボットがあれば生活を大きく変えないで済みます。この項では移動支援ロボットについて紹介しましょう。

■車いすロボット

ロボット技術を用いて車いすを高機能化する試みは早くからあり、２００５年の愛知万博「愛・地球博」では富士通、アイシン精機、産業技術総合研究所が共同でインテリジェント車いすロボットを出展しました。ＧＰＳとＩＣタグによる測位機能、情報通信機能、センサによる環境認識技術などを活用して自動で目的地にたどり着く新しい交通システムとしての一面は、車いすの未来を示したとして注目されました。

２０２０年11月に発売されたパナソニックの「PiiMo（ピーモ）」は、障害物を検知すると減速、停止する自動停止機能で安全性を高めただけでなく、先行する車いすに追従して自動走行できる機能が搭載されているため、効率よくグループ移動ができます。空港など公共施設での移動支援だけでなく、グループ移動の機能を活かして観光地やアトラクションなどのエンターテインメントとしての利用を期待しているそうです。

■搭乗型移動支援ロボット

セグウェイで知られるようになったパーソナルモビリティは、ロボット技術を導入していくことでさらに進化しようとしています。日常生活で手軽な近距離の移動手段として期待される搭乗型移動支援ロボットは、普及定着に向けてさまざまな実証実験が繰り広げられてきました。２０１１年から公道での実証実験が始まりましたが、２０１９年11月にはつくば市で一般市民を対象にした本邦初の車道走行ツアーが組まれるなど、実用の環境も徐々に整ってきています。

また一方で、３万円程度で購入できるミニセグウェイと呼ばれるレジャー製品も発売され始めました。今後、ますます注目が集まる分野といえるでしょう。

要点BOX

- 病気や高齢化による不自由さをサポート
- 車いすのロボット化は10年以上前から
- パーソナルモビリティは高機能&低価格化

パナソニック「PiiMo」の自動停止機能

写真提供:パナソニック

「PiiMo」の追従走行イメージ

写真提供:パナソニック

つくば市での国内初「車道」でのセグウェイツアー

写真提供:つくば市政策イノベーション部科学技術振興課

52 介護作業を大幅に軽減するさまざまな支援ロボット

介護・生活支援ロボット2

生活全般をサポートするロボットは、目的別にかなり細分化されています。

■移乗介助

「ベッドから車いすへの移動」といった介助者による抱え上げ動作のパワーアシストを、ロボット技術を用いて行う装置です。従来のつり下げタイプの移動リフトのように据付工事を必要としないため、必要なときに、すぐ導入できます。なお、介助者が装着するパワーアシスト装置については53項でまとめて紹介します。

■移動支援（屋外移動）

高齢者などの外出をサポートするため、荷物を安全に運搬できる歩行支援機器の開発が進んでいます。手押し車型のシルバーカーの移動をモーターなどでアシストする方式のものが多く、条件としては介助者が持ち上げられる30キログラム以下でなければなりません。

■移動支援（屋内移動）

屋内移動や立ち座りをサポートし、特にトイレへの往復やトイレ内での姿勢保持を支援するサポートマシンです。ロボット技術を用いることで適切なサポートや、高い安全性が実現します。

■排泄支援

工事なしでベッドサイトに増設できるトイレや、自動洗浄などを行います。

■見守りシステム

ロボットに搭載されるセンサや外部通信機能の技術を活かし、介護施設や自宅において、要介護者の状態を見守る装置やシステムの開発が進んでいます。

対象者の行動や状態をAIなどで分析することにより、自発的な言動がなくても状況判断や予測ができることが重要で、危険度などの段階に応じて介護従事者への通報を行うのです。介護施設だけでなく在宅者用のシステムも製品化が期待されています。

要点BOX

- 介護ロボットは機能ごとに分類されている
- ベッドからの移動や排泄などを支援
- 介護施設では高度な見守りシステムが必要

施設・病院 介護向け移乗サポートロボット「Hug T1」

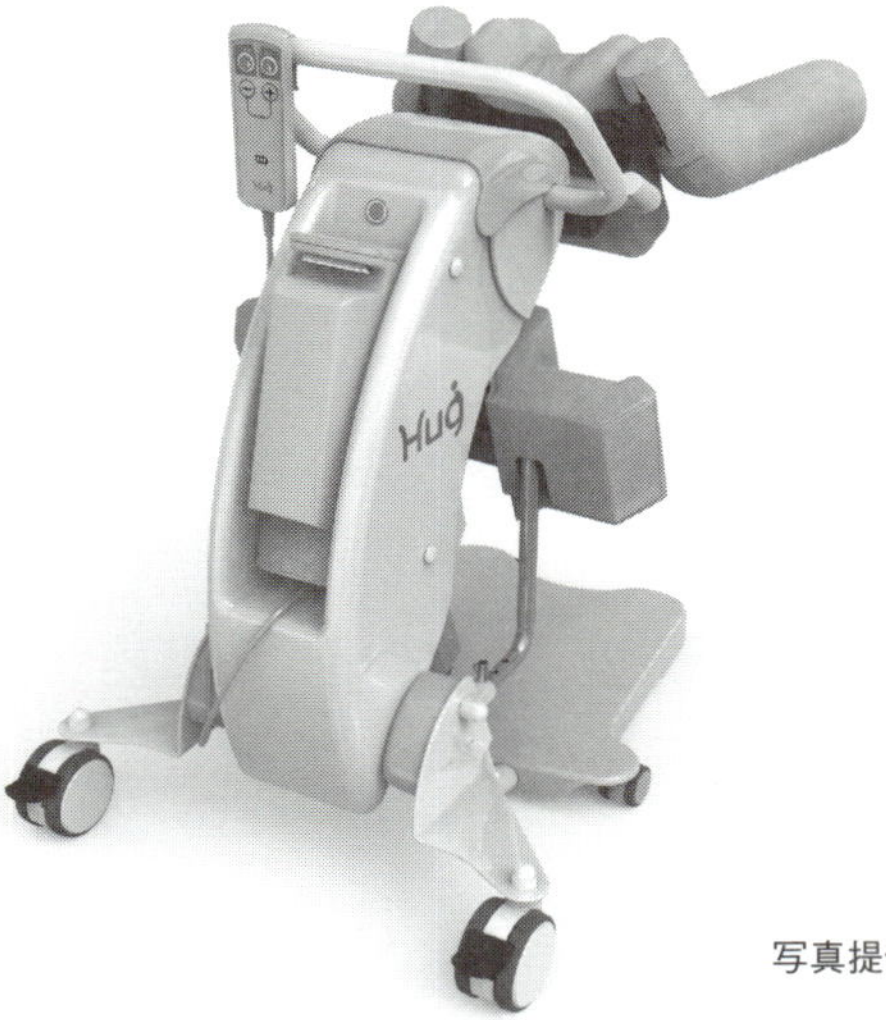

写真提供:FUJI

排泄支援アシストロボット「SATOILET(サットイレ)」

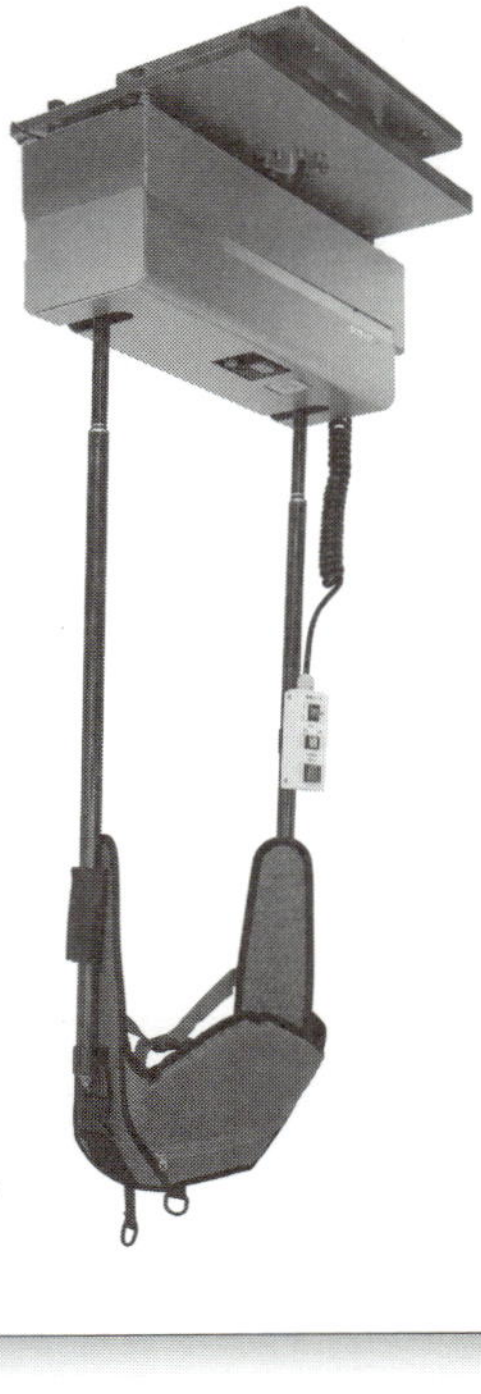

写真提供:がまかつ

53 日常生活を支援する装着型ロボット

介護・生活支援ロボット3

　介護や生活支援などを目的としたロボットの中で、ひとつのジャンルを形成しているのが第2章でも紹介した装着型ロボットです。パワードスーツ、パワーアシストスーツ、ロボットスーツ、マッスルスーツ、サイボーグロボット……と名称はさまざまありますが、外部のアクチュエータによって人の筋力を増強する仕組みは同じです。

　装着型ロボットの研究は第2次世界大戦後に米国で始まりました。ただしお国柄なのか、人の筋力をさらに強化するスーパーマン志向のものが中心で、中には軍用として実用化されたものもあります（兵器ではなく兵站用として）。

　これに対して、日本では2000年前後からいくつかの大学や研究機関で、装着型ロボットの製品化を目指した研究が始まりました。ただ、そのほとんどは加齢や病気によって弱った筋力をサポートする介護・生活支援タイプです。

　たとえば筑波大学で開発され、現在、大学発ベンチャーであるサイバーダインによって販売されているHALは、病気の治療や機能向上を促すことを目的にしたものでした。現在ではその成果を活かして、人の運動能力を増幅・拡張したり作業をサポートしたりする製品も実用化されています。

　東京理科大学で生まれ、やはり大学発ベンチャーのイノフィスによって事業化されたマッスルスーツも、コンセプトは自立した生活への支援であり、介護作業や農作業などのときに腰への負担を軽減するタイプのものが販売されています。パナソニックの社内ベンチャーで設立されたATOUN（あとうん）は、腰や腕の動きを助けるパワードウェアを販売しているほか、日々の歩行を支える新しい技術の開発や工場など作業現場での活用を想定した力を増幅するタイプのパワードスーツの開発など、装着型ロボットの新たな可能性に挑戦しています。

要点BOX

- 作業のサポートをする人体装着型ロボット
- 「着るロボット」は機能・用途拡大が目覚ましい
- すでに製品化され量産を始めた企業も現れる

装着型サイボーグ「HAL」腰タイプ

台風被害を受けた家屋の泥出しを支援

家庭での体幹運動で機能向上を促進

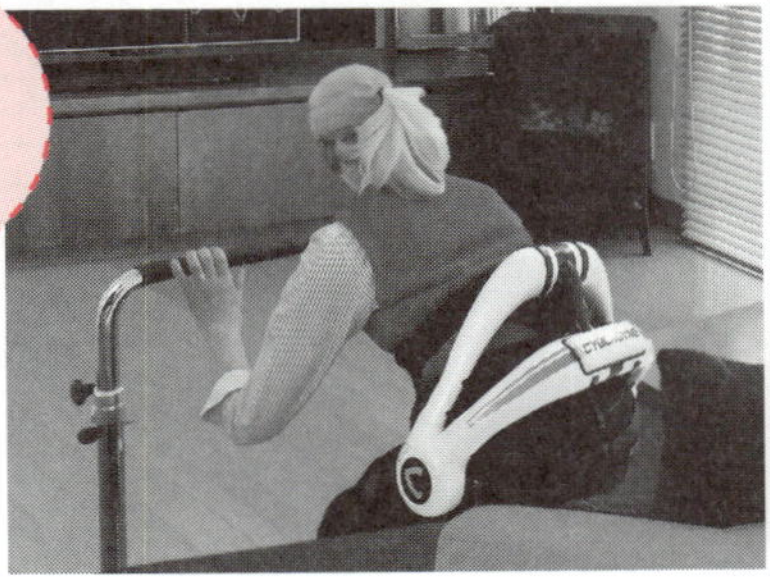

写真提供:サイバーダイン

パワードウェア「ATOUN MODEL Y + kote」

重作業用小型パワードスーツ「KOMA」(プロトタイプ)

写真提供:ATOUN

54 人と共存するロボットに問われる安全と安心

介護や生活支援で活躍するロボットは直接、人と触れ合うことが多いため、非常に高いレベルの安全性が求められます。とりわけ装着型ロボットでは、万が一の誤作動も許されません。それでは、この分野のルールづくりはどうなっているのでしょうか。

新エネルギー・産業技術総合開発機構（NEDO）では、平成21年度（2009年度）開始の「生活支援ロボット実用化プロジェクト」で世界に先駆け、ロボットの安全性検証手法に関する研究開発を実施しました。具体的には、以下に紹介するような活動を行いました。

①生活支援ロボットの安全性検証手法の研究開発
②安全技術を導入した生活支援ロボットの開発

そして、開発すべきロボットの実例として「操縦が中心の移動作業型」「自律が中心の移動作業型」「人間装着（密着）型」「搭乗型」の4タイプを挙げています。

5年間続いたプロジェクトで試験技術や安全の認証に必要なデータを蓄積し、その成果をもとに実際の認証試験の中核拠点として「生活支援ロボット安全検証センター」を設立しました。また、これまでに紹介してきた車いすロボットや搭乗型移動支援ロボット、搬送ロボットなど人と接する可能性のあるロボットの多くが、プロジェクトで定められた安全技術を導入しています。

今後は工場などの生産現場でも、ロボットと人との協業が進むと考えられています。さらに、オフィスでもロボットの導入が進めば、両者が触れ合う機会はもっと増えます。2020年9月には、ロボットの安全な運用のためにサービス事業者が実施すべき内容を国際規格案として提案し採択されるなど、ロボットの安全基準において一歩リードした日本は、この分野でも強みを発揮するでしょう。ロボット革命による日本の技術の国際化、標準化と併せ、世界のロボット市場で勝ち抜く強力な切り札になりそうです。

要点BOX

- 人と接するロボットは明確な安全基準が必要
- 日本は生活支援ロボットの実用化を強力に支援
- 安全認証と技術の確立で世界をリード

生活支援ロボットの機能安全

【機能安全とは?】

機能安全とは、電気、電子、プログラマブル電子機器が担う安全機能の確実性（安全度水準・SIL）を保証することにより安全を確保する方法です。これにより、安全の確実性を高く保ったまま人の生活環境で動くロボットを製品化することができます。

出典：「生活支援ロボット実用化プロジェクト」（新エネルギー・産業技術総合開発機構（NEDO））

安全技術を導入したロボットの例

出典：「生活支援ロボット実用化プロジェクト」（新エネルギー・産業技術総合開発機構（NEDO））をもとに作成

Column

生物から学ぶロボット開発ーバイオミメティクス

ロボットの世界で注目されている分野に、バイオミメティクスというものがあります。日本語では生物模倣などと訳されていて、自然界の生物がもつすぐれた特性を工学的に活かす研究や応用事例を指しています。古典的な例としては、服などにひっつく木の実からヒントを得たマジックテープが挙げられます。

ロボット開発においてよく誤解されがちですが、バイオミメティクスは生物そのものをそっくり真似したり生物を使ったりすることではありません。たとえば蛇を機械で再現するのではなく、「蛇のような」動きで移動できるロボットを完成させ、レスキューに活躍させようといった発想です。

ちなみに、ヘビ型ロボットは配管が密集する原発の内部などでも進んでいけることから活動領域の拡大が期待されていますが、さらにもっと狭小で複雑な空間では「蛇行運動より蠕動運動のほうが有利」との考えからミミズ型ロボットの開発が進められています。小型化できれば人体内に入り込んでガンなどの治療にも役立つと考えられており、今後の動向が注目されているのです。

人間を真似た二足歩行ロボットの研究もバイオミメティクスのひとつですが、これだけで「生物がもつすぐれた特性を工学分野に活かした」とまでは言い切れません。生物や生物が築いた生態形にはナノからキロメートルまでの幅広さと多様さがあります。現在、バイオミメティクスのロボットへの応用は極小のメカニズムを実現するMEMS（第2章参照）の技術進歩とセットで語られることが多いようです。おもしろい例として、ロボット用の匂いセンサを実現するのに人の鼻を模倣するのではなく、昆虫の触角を参考にするという研究がありました。昆虫は触角の先にあるフェロモン受容体という部分で匂いを感知するのですが、それと同じ機能をMEMSによって半導体チップに行わせ、小型で高性能の匂いセンサをつくったのです。

今後もロボットを高機能化させていくには、このような新しい発想によるブレークスルーが不可欠であり、そのヒントのひとつにバイオミメティクスがあるのです。

第6章

日々の生活をよりよくしてくれるサービスロボット

55 もっとも身近な家庭用ロボット？

ロボット掃除機

第4章では業務用の清掃ロボットを紹介しましたが、最近ではロボット掃除機を使っている家庭も増えています。アイロボット社のルンバは日本国内の累計出荷台数が２０２０年12月までに４００万台を超え、２年ごとに１００万台ずつ増えた計算になります（床拭きロボット「ブラーバ」を含む）。他社の製品も含めたロボット掃除機の世帯所有率は約９パーセントと、「10軒に1台」レベルに近づきました。

それでは、ロボット掃除機はどんな仕組みで部屋を掃除するのでしょうか？ ゴミを吸い取る機能はロボット技術とは関係ないので、ここでは家の中を巡回する機能について説明します。

初期のロボット掃除機の場合、部屋の形や間取りをマッピングするといった高度な機能は一切もっていませんでした。驚くことに「らせん状に進む」「壁を見つけたらそれに沿って移動する」「何かにぶつかったらランダムな角度で折り返す」といったわずかな行動パターンが用意されていただけだったのです。しかし、このシンプルな仕組みこそが成功のポイントでした。

市販されるロボットは、コストや生産性を考えると機能を最小限にしなければなりません。そこで、ロボット掃除機の開発者たちは包摂アーキテクチャという概念を導入します。

これは「複雑で知的な行動も単純な行動のモジュールを組み合わせることで実現できる」という考え方で、たとえば障害物にぶつかったときに折り返す角度をランダムにするだけでも、部屋の中をくまなく走り回ることはできるのです。

少ない行動モジュール（パターン）しかもたなければ、知能やセンサ系の負担は少なくなり、コストダウンにつながります。このため包摂アーキテクチャのコンセプトは、その後、多くのロボット商品に活かされていきました。そういう意味でも、ロボット掃除機の成功は画期的なできごとだったのです。

要点BOX

- ●ロボット掃除機は日本で9%の所有率
- ●単純な行動の組み合わせで「知性」を実現
- ●ロボット家電では開発もコストが優先される

掃除ロボットのアルゴリズムの例

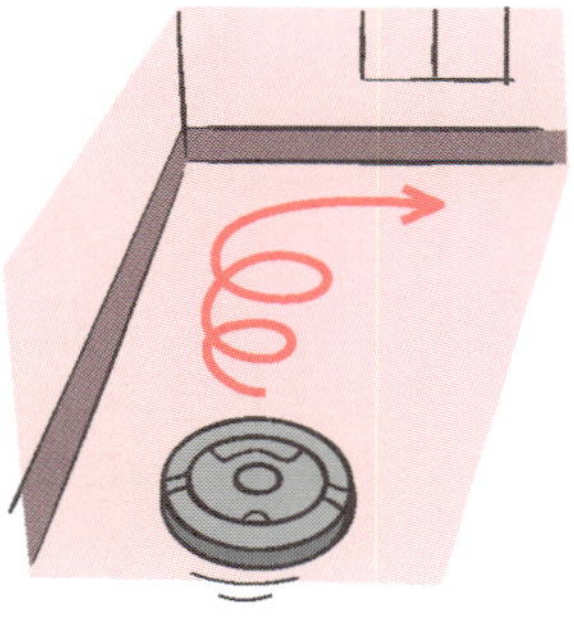

らせん状に進む

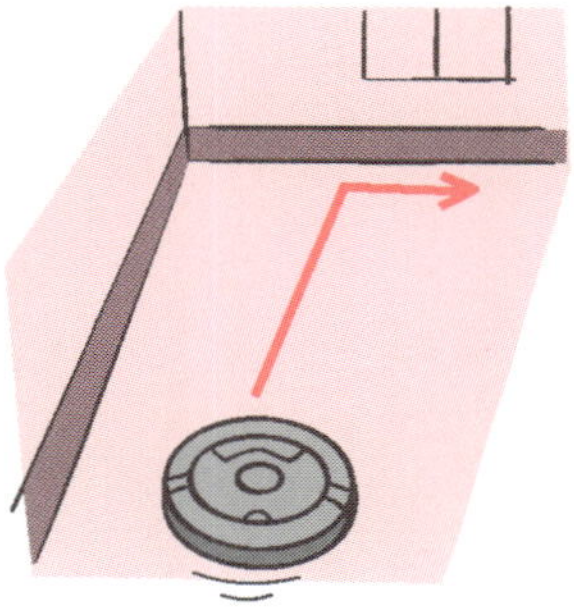

壁を見つけたらそれに沿って移動する

何かにぶつかったらランダムな角度で折り返す

家庭用ロボット掃除機の最高峰「ルンバ i7+」の機能

1.スマートマッピング

家の間取りを学習し、記憶する。掃除をする場所と時間などをスマホ経由で指示できるため、ライフスタイルに合わせた清掃が可能に

2.進入禁止エリアの設定

記憶した間取り図のうえでバーチャルウォールを設定し、進入させないようにできる。特定の場所だけの清掃も可能

3.自動ゴミ捨て機能

最大60日分のゴミを自動でクリーンベースに収納できる

4.床拭きロボット連携

清掃が終わると、続いて拭き掃除ロボットがスタートするように設定可能

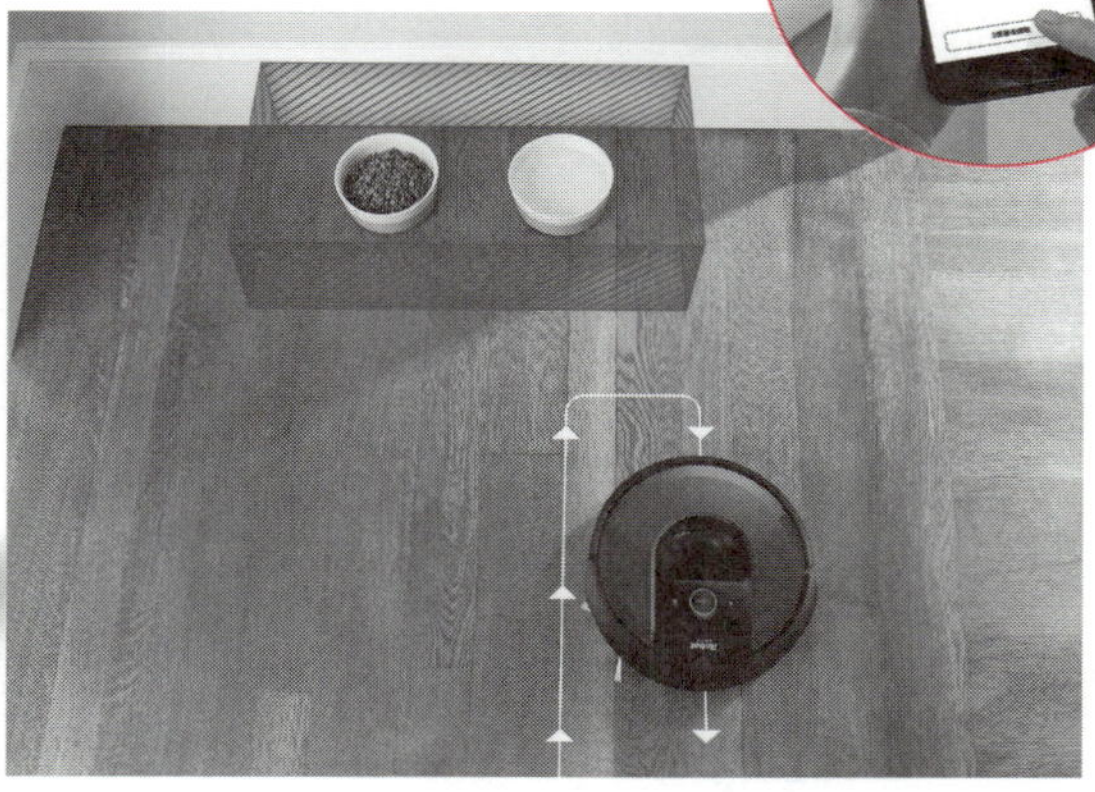

資料提供：アイロボットジャパン

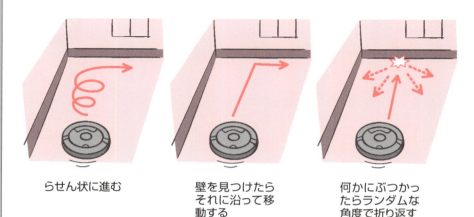

56 人と一緒に行動し、会話や感情の交流を図るロボット

コミュニケーションロボット1

コミュニケーションロボット（パートナーロボット）とは、会話や行動によって人とやりとりをしたり、一緒にいると心を和ませてくれたりするロボットのことをいいます。

ホンダのASIMOは、世界初の本格的な二足歩行システムを実現したことで有名ですが、歩くのはあくまで人と共存するための手段に過ぎず、開発を始めたもともとの目的は、鉄腕アトムのように人々と一緒に暮らし、交流できるロボットをつくりたかったからでした。このため、音声認識と発音の機能が備わっていたほか、周囲の人の動きを感知して自律的に行動することができたのです。

コミュニケーション機能に特化して製品化されたのが、2015年8月に発売されたソフトバンクモバイルのPepper（ペッパー）でした。最大の特徴は、応対する相手の表情や声から感情を察する「感情認識機能」が備わっているところで、それにより一緒に喜んだり寂しがったりするのです。

Pepperは会話をする以外にも写真を撮影したり、子どもの相手をしたり、家族にメッセージを送ったりすることができます。通信会社が販売するロボットだけに、音声認識など情報処理機能の一部はクラウド上で動作する設計になっているなどPepper自体が携帯通信端末のような働きをするわけで、スタンドアロンを基本としてきた従来のロボットとは異なる発想に基づくものといえるでしょう。

二足歩行こそはしないものの、Pepperは世界で初めて量産されたヒト型ロボットとして話題になりました。そんな影響もあり、その後、RoBoHoN（ロボホン）やRomi（ロミィ）、Charlie（チャーリー）といった個人でも買える家庭用コミュニケーションロボットが次々と誕生します。言葉を発するだけの会話ロボットも含めると、コミュニケーションロボットは多くの人に受け入れられているようです。

要点BOX

- ●ASIMOが目指したのは人との共存
- ●感情をもつとされるロボットPepperが話題に
- ●家庭用コミュニケーションロボも次々製品化

コミュニケーションロボットとしてのASIMOの実力

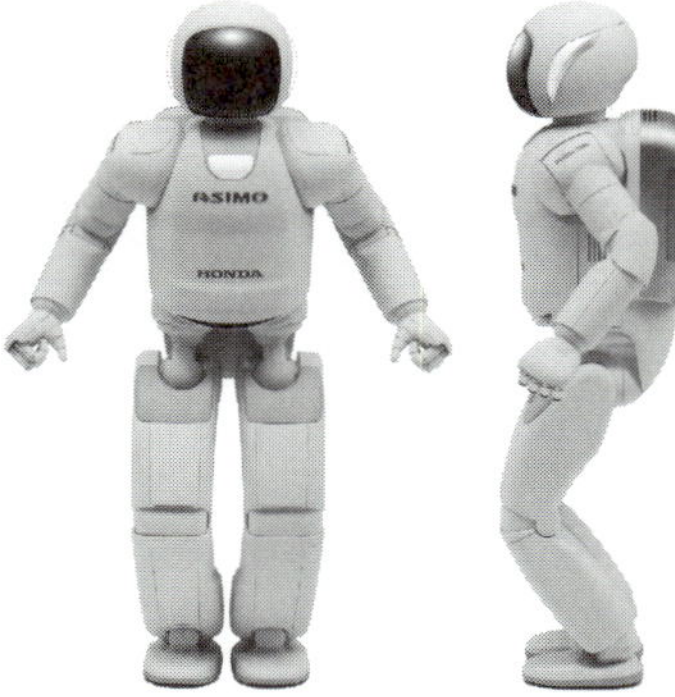

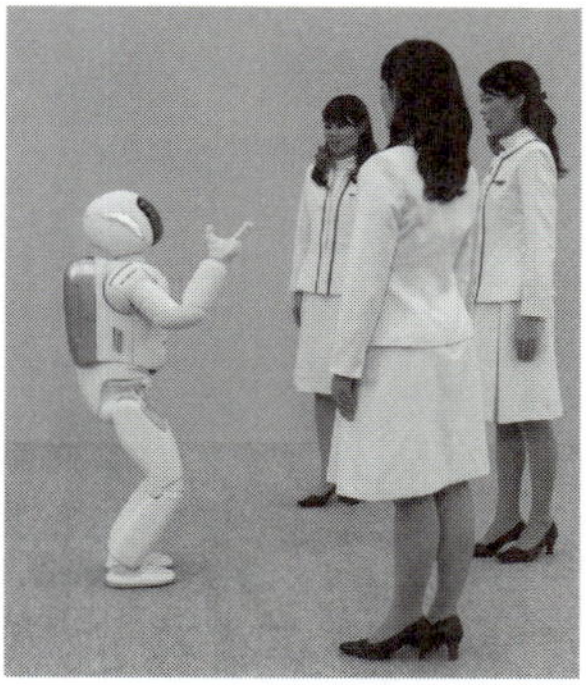

3人が同時に発する言葉を聞き分ける

ASIMOは、周囲の人の動きなどの変化を複数のセンサによって感知し、それらの情報を総合して推定する外界認識能力をもつ。そして集めた情報から予測し、人の操作の介在なしに自ら次の行動を判断する自律行動生成が可能である

人の歩く方向を予測して、ぶつからないように進む

お客様へのプレゼンを中断し、お客様に飲み物が来たことを知らせる

資料提供：ホンダ

「感情」をもつロボット、Pepperと感情マップ

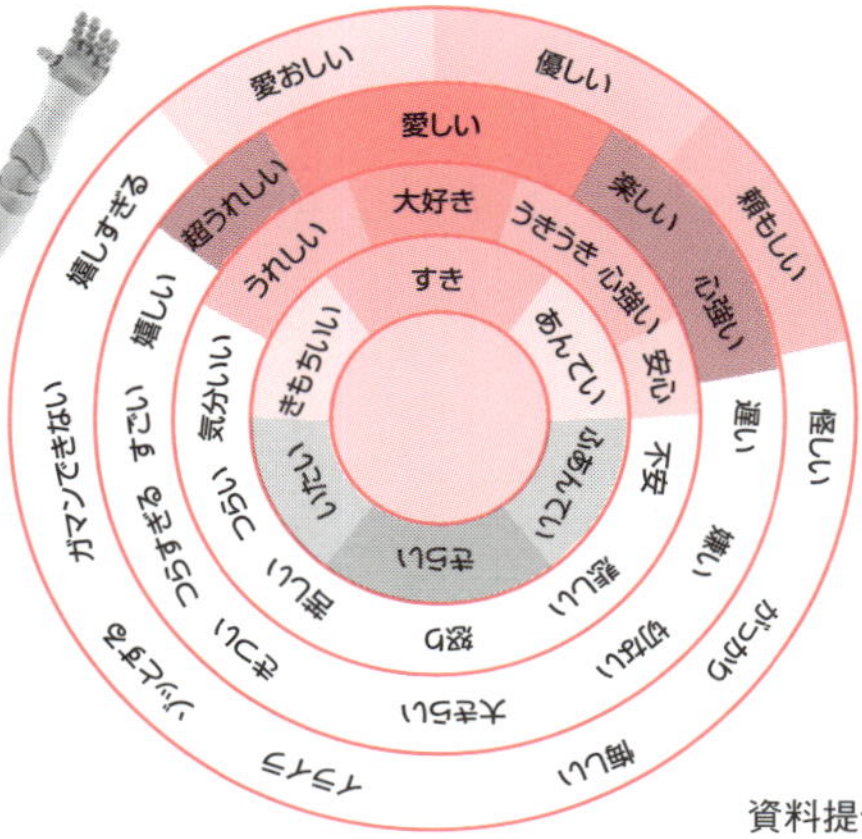

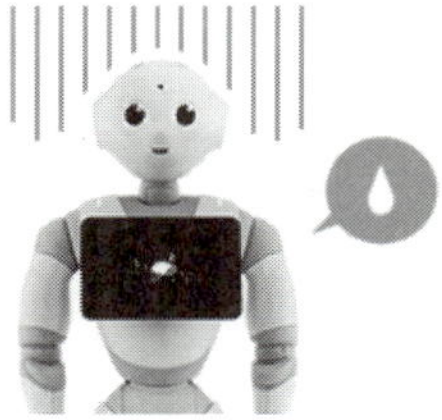

ディスプレイに表示された感情マップを見ることで、Pepperの感情の移り変わりを観察できる

資料提供：ソフトバンクロボティクス

57 表情やしぐさを加えるとロボットの表現力が高まる

コミュニケーションロボット2

コミュニケーションロボットの1つの方向として、表情や動作による感情表現（情動表出）の再現があります。将来、人類とロボットがより深いレベルで交流し、共存していくとき、情報だけでなく気持ちを伝え合うのも大切だと考えられるからです。

人工知能（AI）やニューロコンピューティングの進歩は、技術的にも「ロボットが感情をもつこと」を可能にしてくれるかもしれません。そんな期待もあって、現在、この分野でもさまざまな新しいシステムが試されています。

感情表現ロボットの走りといえるのは、早稲田大学ヒューマノイド研究所が2009年に開発したKOBIAN（コビアン）でしょう。眉・額・瞼・目・口・首・腕などの動きに加えてマンガの漫符に近い方法も駆使し、「世界初の喜怒哀楽を表すロボット」を目指しました。それまでも「顔」の表情をつくれるロボットはありましたが、KOBIANの場合は二足歩行できる脚に加え、人と同様の動きができる腕までも駆使して感情を表現しているところが画期的です。それ以降のコミュニケーションロボット開発に大きな影響を与えたことは間違いありません。

米国海軍の人工知能応用研究センターが2012年に開発した火災消火用人型ロボットOctaviaも、樹脂製の顔による豊かな感情表現で話題になりました。バージョンアップされるごとに表情は豊かになり、たとえば、困惑したときには「片方に首をかしげ口を尖らせる」といったコミカルな表現もできます。ただ、すべての動きがあまりにアメリカ仕様だったためか、日本人の中には拒絶反応を示す人もいて、世界共通とはいかなかったようです。

その後、肌の質感に近い素材で顔を覆ったアンドロイド風ロボットが登場し、表現のレベルは確実に上がってきています。将来は、人とロボットの間で友情や愛情が生まれるかもしれません。

要点BOX

- 交流を深めるには感情を伝え合うことが大事
- 顔の表情だけでなく体全体で感情を表す
- 国による文化の違いを超えられるか?

喜怒哀楽を表現する世界初の全身型ヒューマノイドロボット

喜び　恐怖

驚き　悲しみ

怒り　嫌悪

写真提供：早稲田大学高西淳夫研究室

表情やしぐさの再現具合はリアルを超える

58 個人が気軽にロボットをもてる時代になってきた

パーソナルロボット

コミュニケーションやエンターテインメントなど用途はさまざまですが、個人ユーザーを対象にしたロボットを、ここではパーソナルロボットとして紹介していきます。

この分野の元祖といえるのが、1999年に発売されたソニーのAIBOです。視覚・聴覚・触覚の「三感」を可能にした多様なセンサ、ある程度の自律行動ができる知能、サッカーまでする運動能力とロボットの3要素を備えた、かなり本格的なペットロボットでした。しかし、約25万円という価格のせいか、大きな市場を確立するまでには至っていません。2006年に一度、販売が終わり、2017年には小文字のaiboと改名した新しいモデルが発売されましたが、前作ほどの話題にはなりませんでした。

それでもペットロボットの分野では、その後も新しい製品が生まれ続けています。日本のロボティクスベンチャーGROOVE Xが2019年に出荷開始したLOVOT(らぼっと)もそのひとつで、家族型ロボットという名の通り、一緒に暮らしながら交流を深めていけます。ユカイ工学という、やはりロボティクスベンチャー企業が2018年に販売を開始したQoobo(クーボ)は、「しっぽのついたクッション型セラピーロボット」という新しいコンセプトに基づくペットロボットです。あえて犬や猫といった具体的な動物に寄せるのではなく、それでも、しっぽの振り方や体の振るわせ方でコミュニケーションを図り、ペットによる癒やしを感じてもらいます。

一方、産業用ロボットのようなロボットアームも、入門用のキットが発売されています。6自由度の本格的なものが1万円以下で買えるようですから、興味をもった人はぜひ試してみてください。

ただし、購入者のユーザーレビューを読んでいると、メカとコンピュータに関する知識はそれなりに必要なようです。そうした意味では、ペットロボットよりはかなり敷居が高そうです。

要点BOX

- ●AIBOがパーソナルロボットの先駆者
- ●ロボットベンチャーがペット用を開発
- ●6自由度のロボットアームも個人で買える

さまざまな姿を見せるパーソナルロボット

aibo

写真提供：ソニー

LOVOT（らぼっと）

写真提供：GROOVE X

Qoobo（クーボ）

写真提供：ユカイ工学

59 人造人間への道の長さがロボットの可能性を示している

ヒューマノイドロボット

ロボットはもともと人造人間として発想されたものです。したがって、ヒューマノイドロボット（ヒト型ロボット）こそが主流であるべきなのでしょうが、現実にはそうなっていません。産業用ロボットは特定の機能を高めていくことでどんどん人らしくなくなっていますし、ヒューマノイドタイプとして開発されたロボットであっても、備わっているのは限定的なコミュニケーション能力と二足歩行ぐらい。しかも、見た目は金属やプラスチックの塊なのですから、人造人間のイメージからはかなり遠いのです。

それにもかかわらず、現在でも多くの研究者がヒューマノイドロボットにこだわるのはなぜなのでしょうか。大きな理由は、人と共存するにはそのほうが便利だからです。

そして、私たちと一緒に生活できるようになれば、ロボットたちは一気に多様な能力を身につけられます。たとえばロボットに高度な移動機能をもたせるのは大変ですが、人のように行動できるロボットであれば自動車や鉄道、飛行機などをそのまま利用できますから、どこにでも自由に行くことができます。それどころかトラクターに乗れば農業、ブルドーザを操れば建設工事と1台のロボットがマルチに働けるのです。

もっとも、そういう発想に対して「それなら農機や建機をロボット化したほうが早いのでは……」といった反論もあり、どちらがいいのか結論は出ていません。おそらく、ロボット開発における「ヒト型か、非ヒト型か？」という論争はずっと続くのでしょう。

技術の歴史を振り返ってみると、形が決まってしまった製品は、そこで進歩が止まるか、緩やかに成熟します（携帯電話は2つ折りスタイルが主流になったところで大きな進歩がなくなりました）。この点、形状をどうするかといった段階から悩むことができるロボットはまだまだ未成熟であり、その分、大きな可能性を持っているといえるのです。

要点BOX

- ●ロボットの開発史は非ヒト型が主流だった
- ●それでもヒト型にこだわる研究者は多い
- ●形が自由だからこそロボットに未来がある

「人造人間」を示す言葉

ヒューマノイドロボット（humanoid robot）
本来の意味は「人間そっくりのロボット」であり、まさに人造人間といえるかもしれないが、現状では2足歩行タイプや直立型ボディのロボットはすべてこう呼ばれることがある。日本語ではヒト型やヒト形、人型、人間型などさまざまに表記される
アンドロイド（android）
英語のヒューマノイドと同じ意味のラテン語であるため本来はヒト型ロボットのことを示すが、18 世紀から文学作品に登場していただけに定義は曖昧で、自動人間から感情をもった人造人間まで幅広く使われる
バイオノイド（bionoid）、バイオロイド（bioroid）
1980 年代の SF 作品によく用いられた言葉で、「人間に近い生体や心をもつ人造人間」といった意味で使われる。非常に完成度が高いヒューマノイドロボットといえるかもしれない
サイボーグ（cyborg）
日本では「身体機能を機械によって強化した人間」を示す。つまり、ロボット化された人間であり、機械だけで構成されるロボットとは明確に区別される

少しだけヒューマノイドに近づいた産業用ロボット

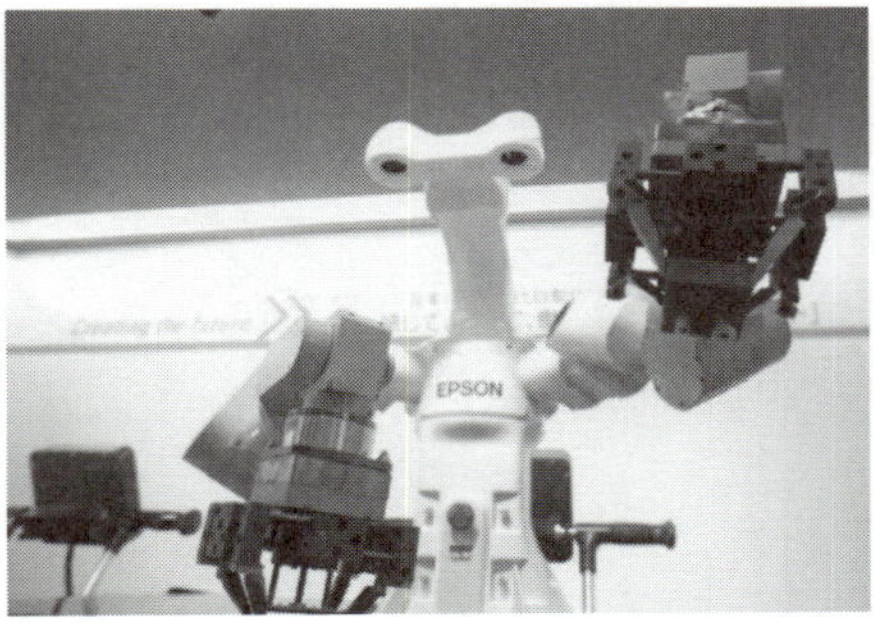

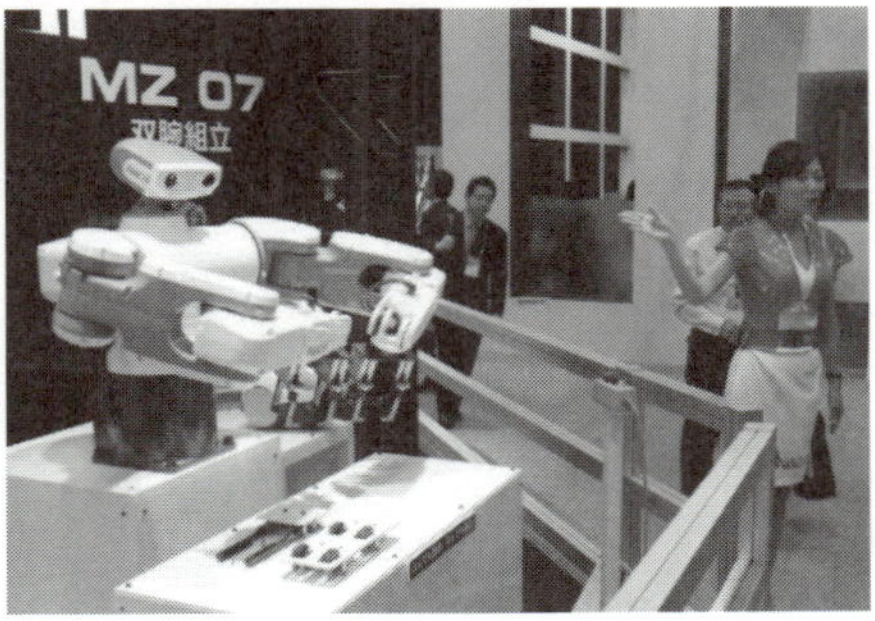

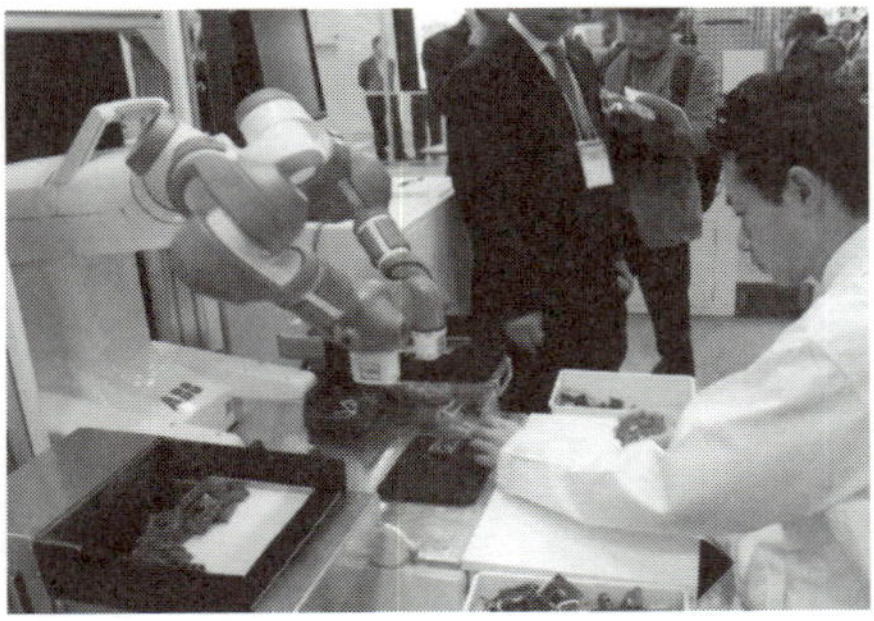

人間でも片手より両手のほうが細かい作業ができるように、産業用ロボットにも2本のアームをもつ双腕形と呼ぶものが登場してきた。片腕で7軸以上という多関節である点は私たちとは違いますが、全体的なデザインが「人間っぽく」なっているようにも感じられる

60 無人航空機「ドローン」に集まる期待と不安

ロボット航空機

ドローンと称されることの多い無人航空機（Unmanned aerial vehicle＝UAV）は、人が操作する場合でも、「障害物を避ける」などの自律機能を搭載していることが多いので、空飛ぶロボットと呼んでもいいでしょう。現在では、数十億円もする軍事用のものから、3000円程度の安価なものまでラインアップも豊富で、かなり身近な存在になってきました。

ドローンの未来として、もっとも期待されているのが産業分野における利活用の拡大です。経済産業省の広報サイト『METI Journal Online』では、2021年4月に「ドローンがある日常 その先の未来」というタイトルでさまざまな事例を紹介しました。

たとえば、ITを活かしたスマートシティの実現を目指す石川県加賀市では、その一環としてドローンによる3Dマップの作成を続けています。小型機であれば建物内部の撮影もできることから、動線の最適化なども可能です。将来的には農薬散布や高圧線の点検、医薬品の輸送といったドローンの高度利用にもつなげていく計画で、自治体の取り組みとしてはかなり積極的でしょう。

航空会社ではドローンによる貨物輸送のインフラ「エアモビリティ」を構想しており、日本航空（JAL）の試みも紹介されています。長崎県の五島列島で総飛行距離1216キロメートル、総飛行時間にして約30時間という実証調査にも成功しており、離島や山間地域における新たな流通経路として期待が寄せられています。

このほか、防災のためのドローンチームを結成した静岡県焼津市など、自治体や企業で多彩な挑戦が行われており、国や都道府県もそれらのプロジェクトを積極的に支援していく方針です。ロボットの導入効果がわかりやすい分野だけに、今後も大きな話題になっていくのではないでしょうか。

要点BOX

- ●ドローン（無人航空機）は空飛ぶロボット
- ●自治体や企業主導で産業利用が進む
- ●経済産業省でも積極的な支援を開始

「METIジャーナル」特集として取り上げられたドローン

写真提供：経済産業省

ドローンの利用が進む産業分野

物流 Transport & Delivery

宅配は「空」の時代へ。より速く、効率的で、環境にも優しい輸送手段として、ドローン物流の実用化に向けた動きが本格化。地上輸送とのスムーズな連携も重要になる

点検 Inspection

社会インフラや公共施設などの点検に応用が進む。業務を自動化するシステムやAIによる不具合箇所の自動検出、携帯通信ネットワークの活用など周辺技術の進化が普及を支える

測量 Survey

国土交通省主導で取り組む「i-Construction」は土木・建設現場にICT技術を導入することで生産性を高める。ドローン搭載のカメラやレーザーによる3次元測量が基幹技術となる

農業 Agriculture

無人機の利活用は、ラジコンヘリによる農薬散布の時代から続く歴史を誇る。近年は高精度カメラやマルチスペクトルカメラを活用したりリモートセンシングによるスマート化が進む

空の道 Skyway

多数のドローンが空を飛び交うようになると、専用航路の設定や交通整理が必要になる。様々な事業者が異なる目的でドローンを飛行させる際には運行管理システムも求められる

警備 Security

広大な敷地でもドローンを巡回させて上空から警備に当たらせれば、より低コストで死角の少ない監視ができる。有人状態での警備では、飛行の精密さと障害物回避機能が運用の鍵を握る

空飛ぶクルマ Passenger Drone

ドローンが人を乗せて飛ぶ時代が迫っている。空飛ぶクルマという言葉は、パイロットが介在する場合も含むため厳密にはドローンと同じではないが、一般に定着し始めている

出典：「日本ドローン年鑑2021」（日刊工業新聞社）をもとに編集部作成

Column

ロボットに関連した新しい職業が生まれる?

ロボット産業の成長は新たな仕事の創出につながります。

たとえば、ロボット開発を担う技術者も、今まで以上に広い分野から募集しなければなりません。なぜなら、「製造業から非製造業」「産業用からサービス分野へ」とロボットの活躍する領域が広がっていくことで、多様な技術が必要になっていくからです。

そのひとつが、本書で解説した加速度センサや荷重センサです。従来の産業用ロボットでは、これらのセンサはあまり重要視されてきませんでした。しかし、ロボットの用途や機能が拡大していく過程で注目されるようになり、今ではこの分野に詳しい技術者が開発チームには欠かせません。

そう考えていくと、「ロボット技術者」というのは決して固定したカテゴリーの職業ではないことがわかります。時代とともに拡大し、あらゆる技術分野に及んでいくのです。

ロボットの開発や生産に、直接携わらない人であっても、ロボット産業の育成に大きく貢献していけます。たとえば今、早急に求められるのが、ロボットの普及に必要な社会のルールをつくる専門家ではないでしょうか。

こんなケースを考えてみてください。ロボット技術によって自動運転できる自動車が事故を起こしたとします。そのとき、責任をとるのは誰なのでしょうか?

もちろん、メーカー側にすべての責任を押しつけるのはもっとも簡単な方法です。しかしそんなルールができてしまえば、メーカーにとってのリスクが大きくなりすぎ、自動車会社は尻込みするはず。その結果、自動運転車はいつまでも普及しないでしょう。したがって、何らかの方法で責任を分散する手段を考え出さなければ、世の中は変わっていきません。そのためには、ロボットと法律、ロボットと行政に詳しい人が必要なのです。

さらに、企業がロボットを導入する場合にアドバイスをしたり、経営効果の考察をするロボットコンサルタントといった仕事も必要になってくるでしょう。また、ロボットの新たな用途や利用技術を開発するロボットビジネスクリエーターという職業が生まれるかもしれません。

新たなロボットの登場は、社会そのものを大きく変えていきます。それだけに、時代の変化を敏感にとらえて新たなビジネスを生み出すことができる人こそが、次代の成功者になれるのです。

第7章

ロボットと社会の未来

61 ロボット化の波は、すでに家の中まで来ている

ロボットと私たちの関わり1

ロボットの未来について語られるとき、たとえば「市場規模は2035年に国内だけで約10兆円、産業や生活のあらゆるシーンで活躍するようになるはず」と数字だけで説明されることがあるのですが、これだけだとなかなか具体的なイメージが見えてきません。また市場予測も、ロボット技術（RT）の応用製品をどこまで含めるかによって大きく変わってくるので、そのあたりももう少し分析が必要です。そこでこの章では、ロボットの進歩が社会をどう変え、その結果としてロボット関連の市場や産業がどうなっていくのか考えていきたいと思います。

いうまでもなくロボット開発が目指しているのは、さまざまな仕事や作業の自動化です。ただし、それは必ずしも「ロボットが人の代わりに働く」といったパターン化した未来につながるわけではありません。むしろ、明らかにロボットだとわかる機械は少なく、大半はRTを応用した「普通の形をした」機械になるはずです。家電品から自動車、社会インフラに至るまで私たちが利用する機器や設備の多くが、RTという「目に見えないロボット」によっていつの間にか自動的に操作されている。社会のロボット化はそんなふうに静かに進んでいくのです。

RTの進歩と普及は、私たちにとって多くのメリットをもたらします。もちろん「面倒な作業が少なくなる」といった効果もありますが、大きいのは作業の自動化によって業務の効率化が進み、社会の経済価値が高まる点でしょう。そして、そんな経済効果のわかりやすい分野からロボット化は進行していくのです。

製造業、社会インフラ、医療・福祉、生活・エンターテインメントといった順序で広がり、現在は、ようやく最初の波が家電品あたりにまで届いた段階でしょうか。家庭用のロボット掃除機が少しずつ普及しているのは、ロボットがそれだけ身近な存在になっていることを確実に示しています。

要点BOX

- ●市場予測だけでは見えてこないロボットの未来
- ●目に見えないロボットの普及が社会を便利にする
- ●経済効果の出やすい分野からロボット化が進む

ロボットが普及する分野の広がり

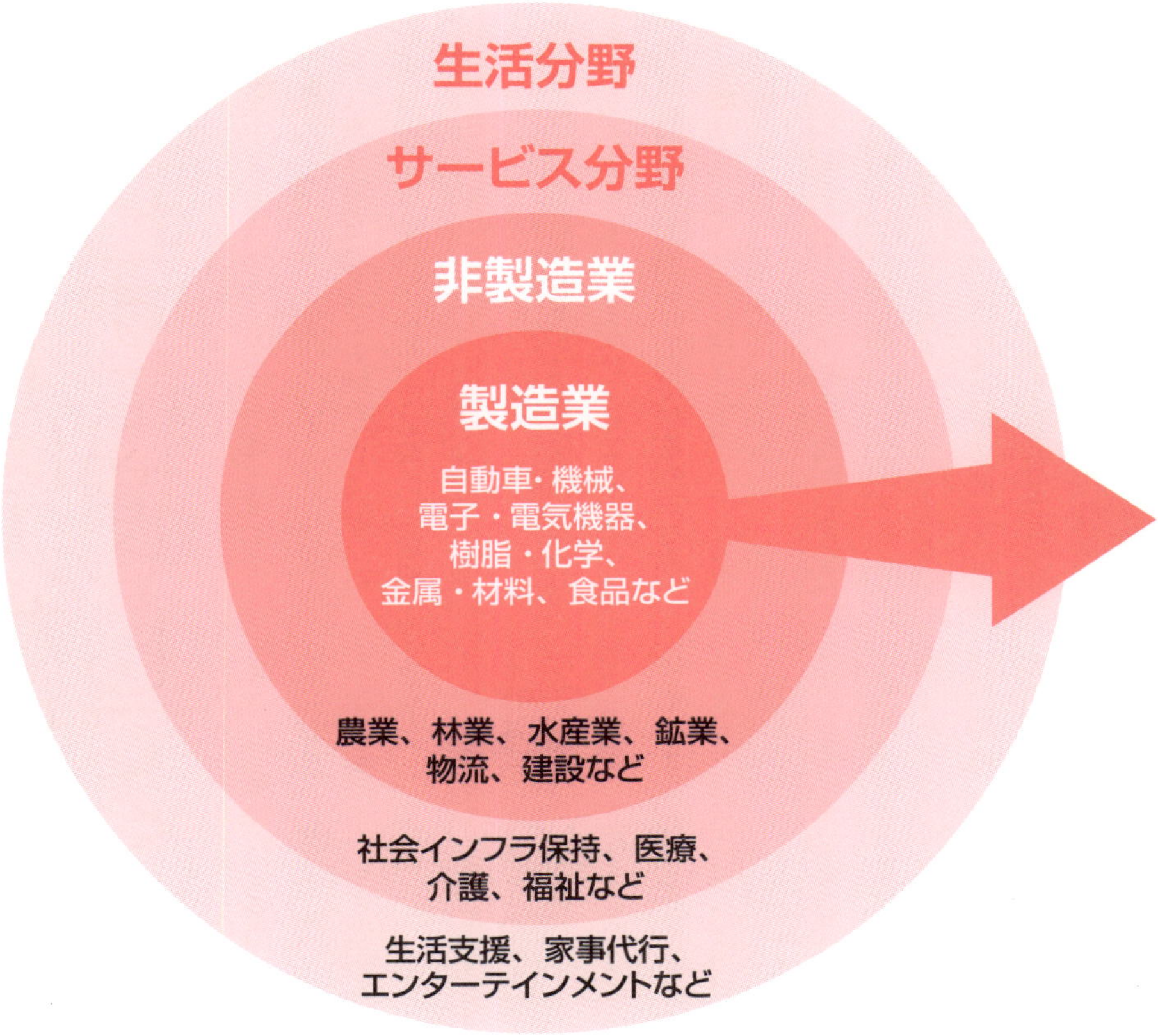

ロボットの技術的定義とRTの領域

ロボット	センサ、知能・制御系、駆動系の3つの要素技術からなる統合システム
RT	機械システム製品のうち、その製品の主たる役割を果たすために必要な行為の全部、または一部をセンサ、知能・制御系、駆動系の3つの要素技術を組み合わせた RT を活用して動作するもの

出典 :「RT(ロボットテクノロジー)による産業波及効果と市場分析に関する調査」(日本ロボット工業会)

62 ロボットは人から仕事を奪わずに増やしてくれる

ロボットと私たちの関わり2

ロボットが普及していくことで人々の仕事が奪われ、社会が混乱するのではないかと心配する声があります。この点については第3章のコラムでも触れましたが、ロボットがもっと身近になる未来においては非常に重要なテーマだと思いますので、もう少し深く考えていきます。

ロボットの導入によって労働構造が変わり、一部の人が仕事を失うようなケースは確かにあるでしょう。しかし、これはロボットに限ったことではありません。新たな技術の登場は、常に同じ結果をもたらしてきたからです。

たとえば、18世紀半ばから19世紀にかけて起きた産業革命は、多くの人の仕事を奪ったという点において、過去、最大の事件といえます。しかし、一方で多くの雇用を創出しました。その後の経済成長を考えると、労働者にとってはプラス面の方がはるかに多かったのです。続いて起きるさまざまな事件、電信・電話、自動車、コンピュータなどが普及してきたときも、結果は似たようなものでした。「スマホのせいで私は仕事を失った」などと恨んでいる人は見たことがありません。

それなのに、なぜロボットだけを恐れるのかといえば、それは「ロボット＝人造人間」という思い込みが強いからではないでしょうか。

しかし、これまでのロボット開発の歴史を振り返ってもらえばわかるように、実用化されたのは溶接や組立など特定の機能に特化したマシンであり、人造人間のイメージからはかなりかけ離れています。そして、これらのロボットを操作するオペレータや、生産システムに組み込むインテグレータなど新たな職種が生まれました。つまり、ロボットも動力機械や情報通信機器と同様に経済を発展させ、雇用を拡大する可能性の方が高く、その普及は労働者にとっても歓迎すべきことなのです。

要点BOX

- ●ロボットが雇用を奪うと心配する人がいる
- ●新たな技術は失職より雇用を増やす
- ●ロボットは人の代わりになるわけではない

トヨタ自動車の総従業員数の推移

1970年代以降、積極的にロボット導入を進めたトヨタ自動車では生産性の向上→業績の拡大により1980年代以降従業員数は増えている。さらに1990年代以降は業務の多様化（≒連結会社数の増加）が顕著で、雇用機会はかえって拡大したと考えられる

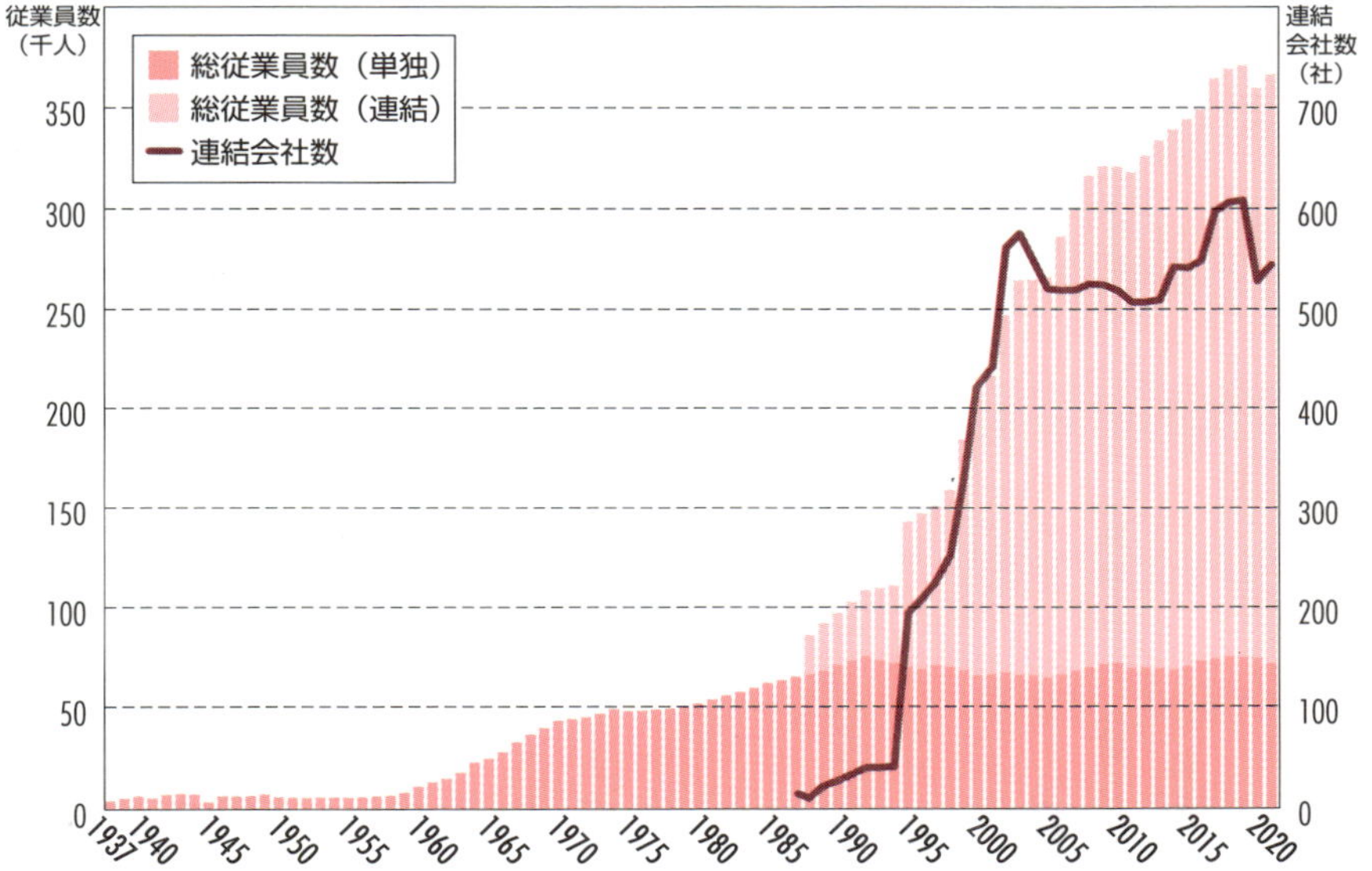

出典：「トヨタ自動車75年史」（トヨタ自動車）

主要国の失業率と従業員1万人当たりのロボット台数

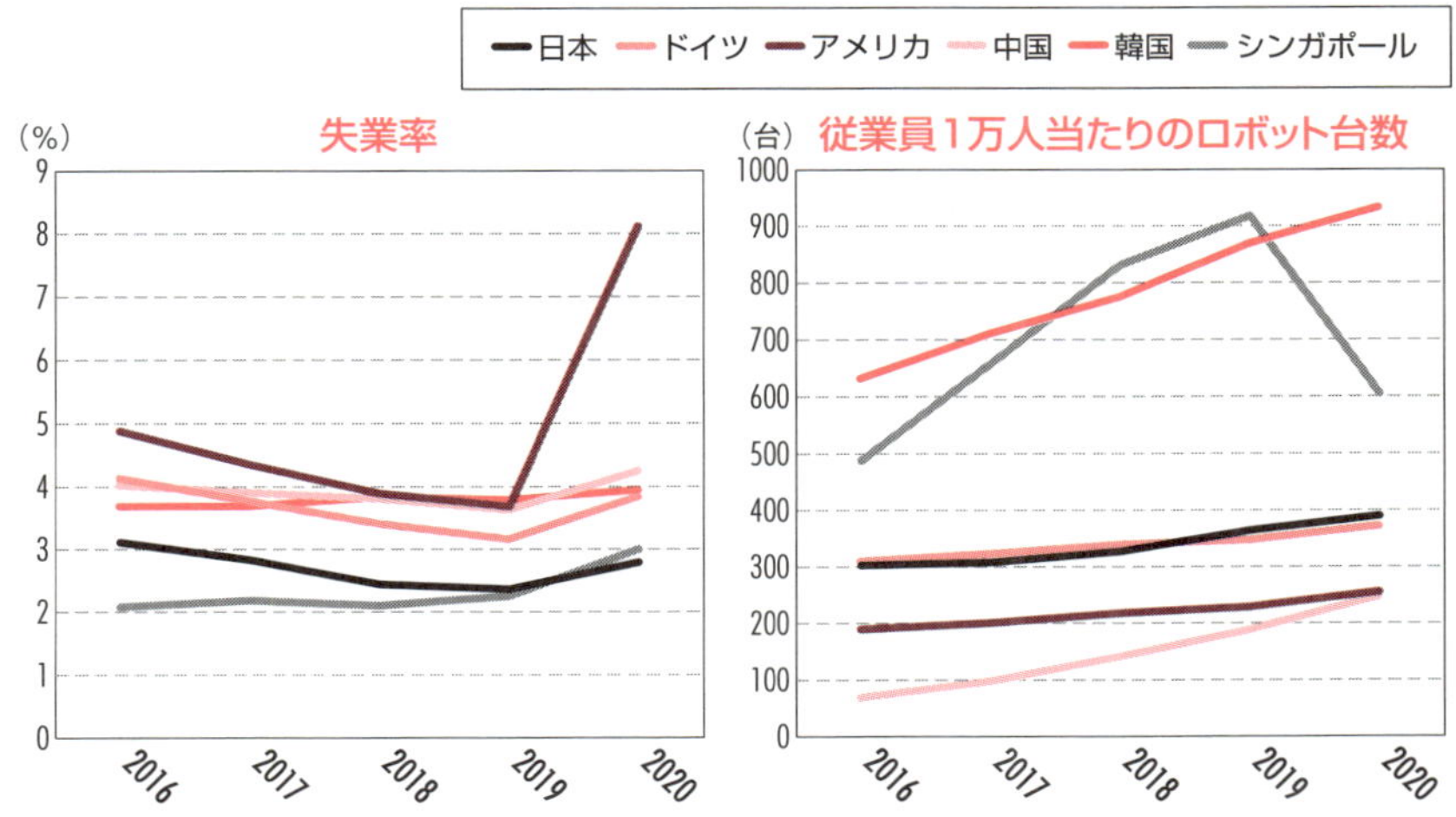

資料提供：国際ロボット連盟

63 ロボットが活躍舞台を広げていくための技術課題

ロボット技術（RT）の未来1

未来のロボット技術を考えていくうえで、重要なキーワードとしてロバスト性があります。外的要因による変化を内部で阻止する仕組みや性質などを意味する言葉で、ロボットにおいては「まわりでどんなことが起きようとも対応できる性能」だと考えてください。たとえば、人と一緒に行動するロボットを開発する場合、「町中に出て人混みの中を歩く」といったシーンが想定されます。前後左右あるいはランダムに接近してくる人を避け、地面の凸凹などにも注意しながら目的地に向かって進むのは、私たちには簡単でもロボットには大変です。しかし、それぐらいのロバスト性がないと、盲導犬や介助犬の代わりすらできません。

ロバスト性の問題が難しいのは、ロボットの要素技術を進歩させただけでは、解決しない点にあります。センサをたくさん付け、そこからの情報を処理できる高度な知能をもてば外的要因の察知はできますが、その分、システムが複雑になるため新たなトラブルの原因になりかねないのです。この点、多くの生物は非常にシンプルなシステムで高度なロバスト性を実現しており、そこからもっと学ぶ必要があるでしょう。

新エネルギー・産業技術総合開発機構（NEDO）の次世代ロボット知能化技術開発プロジェクトでもこの問題は重要視され、解決方法として考案されたのがモジュール型知能化技術でした。ロバスト性に優れ、しかも汎用性のある知能モジュールを確立し、プラットフォームとして提供するものです。その上に、生産分野・社会分野・生活分野における経験値を蓄積していくことで精度を高めていきます。高速・大容量かつ多接続、低遅延（リアルタイム通信）を実現する5G（第5世代移動通信システム）が普及を始め、ロボットを高度に制御する環境も整ってきています。

人間の社会でも、暗黙知を形式知に「見える化」することで初めて知の共有が実現します。そういう意味でも、この考え方は理にかなっているのです。

要点BOX

- 人と共存するロボットはロバスト性が重要
- 現在のロボットは人混みを歩くのはまだ苦手
- 知能モジュールの蓄積で賢いロボットに

人混みでも自律移動できるロボットの研究が進む

64 超高速、超小型、脳波操作など新たな価値を創造するRT

ロボット技術（RT）の未来2

ロボットは、もともと人の動作を真似るところから始まりました。しかし、現在の産業用ロボットは「1秒間に10個以上の電子部品を基板に取り付ける」といった芸当までできるので、人間の能力を完全に超えているといえます。当然のことですが、ロボットの作業スピードが速くなれば工場の生産性も向上し、経済規模は拡大します。その結果、新たな雇用が生まれる可能性もあるわけで、ロボットの高速化は社会にとって歓迎すべきことなのです（生産コストが下がり、商品の値段も安くなります）。

ところが、ロボットの3要素のうち知能系のコンピュータと駆動系のアクチュエータは人間の能力をはるかに上回っていますが、センサ系だけが追いついていません。残念ながら人間と同じ視覚や触覚をロボットにもたせることは、まだできないのです。したがって、超高速ロボットの実現にはこのあたりをどう解決していくかという課題が生じます。

ただし、ロボットのセンサはすべてにおいて人の感覚に劣っているわけではなく、たとえばハイスピードカメラを積めば1秒間に1000コマ以上の画像を分析するような超人技が可能になります。したがって、ロボットにとって得意な方法で超高速化を実現する方法もあり、そのあたりの工夫が新しい価値の創造につながっていくのではないでしょうか。

マイクロロボットなどと呼ばれる超小型ロボットの実現も期待されています。カメラを内蔵したカプセル型の内視鏡はすでに実用化されていますが、ここに自律移動機能や治療のための機能を加えれば、医療の進歩に大きく貢献できるはずです。

その他、ロボットと人間をつなぐインターフェースの分野でもさまざまな研究がされていて、念じるだけでロボットを自由に操作できるブレイン・マシン・インターフェース（BMI）など、新しい技術によってロボットはまだまだ進化しています。

要点BOX
- ●ロボットの知能と駆動系は人を超える能力
- ●センサ系の工夫によって超高速化が実現
- ●超小型ロボットが新たな市場を創出する?

超高速ロボットハンドの開発

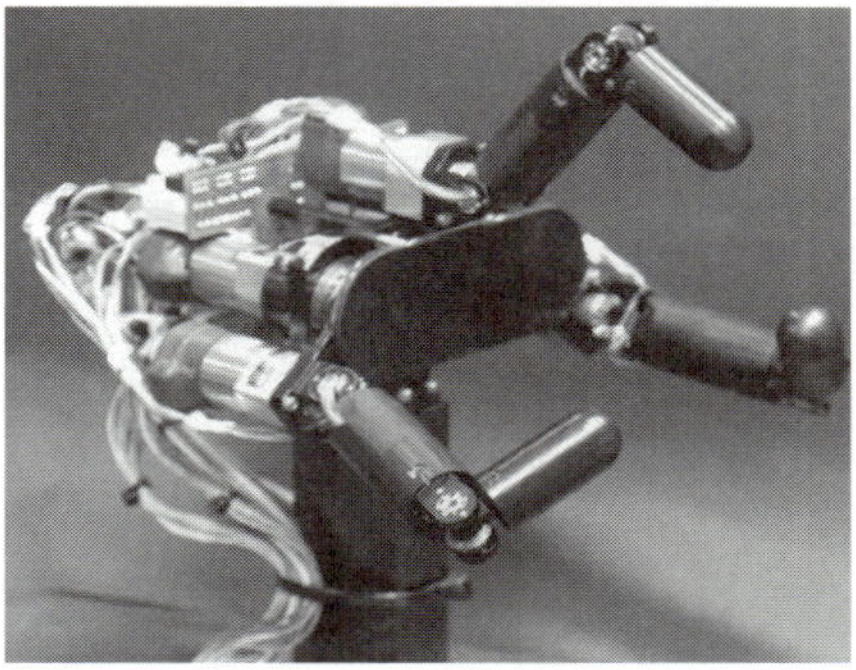

資料提供：
東京大学石川渡辺研究室

必ずじゃんけんに勝つ超高速ロボットハンド

勝率100%のじゃんけんロボット（人間機械協調システムの実現）

人はじゃんけんのとき、グー・チョキ・パーのどれを出すかによって事前に手の形を微妙に変えてしまう。このロボットではそれをハイスピードカメラで分析することにより、必ず勝つことができる

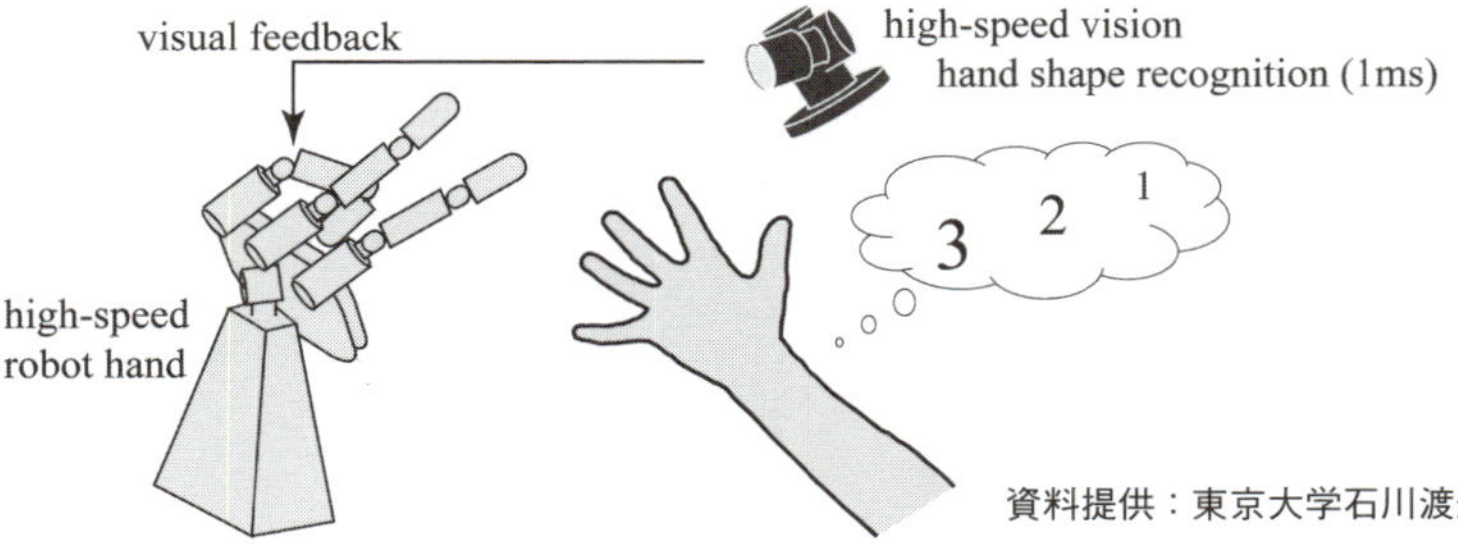

資料提供：東京大学石川渡辺研究室

ブレイン・マシン・インターフェース

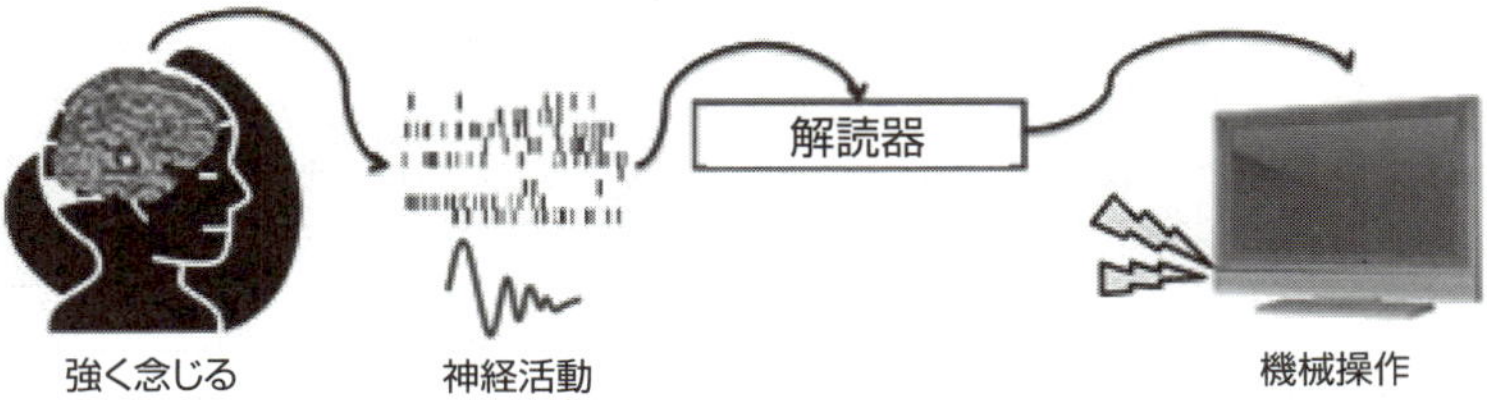

資料提供：国際電気通信基礎技術研究所（ATR）

用語解説

マイクロロボット：マイクロロボットの定義はさまざまである。もっとも厳密なものでは全長1ミリメートル以下のものだけを示し、そうなると半導体製造技術などを応用したMEMS（Micro Electro Mechanical Systems）しか含まれないが、多くのケースでは全長数センチ、感覚的には昆虫サイズ以下のロボットをこう呼んでいる

65 「ロボット」の世界は拡張しながら進歩する

ロボットの進化

本書の冒頭では、ロボットの定義について「自律性をもち、高度で多様な作業ができる動的機械」と説明しました。ところが、ロボット開発の歴史を追っていくと、この概念はどんどん曖昧になってきています。

たとえば、第53項で紹介した人体装着式の筋力支援装置は明確な自律性を発揮するわけではありませんし、動的機械ではあるものの自ら動いて多様な作業をこなすわけでもありません。それなのに「装着型ロボット」と呼ばれるのは、ロボット開発によって生まれた新しい技術を活用しているからです。似たような製品は多く、そのせいか現在では、ある程度の知覚や知能をもつ「人の役に立つマシン」であればロボットの一種として扱われるようになりました。

ロボットという言葉は長く「人造人間」を意味してきたため、今でもテレビ番組などで紹介されるのはヒューマノイドロボットばかりです。しかし現実には、産業用ロボットが普及し始めた1970年代以降、ロボットは完全に人造人間を離れた領域で進歩してきました。

これはきわめて自然な流れです。人がまったくハンドルを握らなくてもいい自動運転車を開発するのに、「ヒューマノイド型のドライバーロボットを完成させて運転席に座らせよう」とは思いません。それより、自動運転を実現するのに必要なシステムを考え、その機能に最適な形の装置をつくればいいのですから。

つまり、最初に「こんなロボットがあれば…」と想定するシーズ先行ではなく、求められる機能に合わせて知覚・知能・動力を組み合わせたニーズ先行型のロボットを開発することで、ロボットの世界はどんどん広がっていきます。そうした意味で、ニーズに応じてロボットや関連装置を組み合わせた最適なソリューションを提案・提供できるロボットSIerの役割はさらに重視されます。ロボット産業が成長するために、定義や形にとらわれない自由な発想こそが大事なのです。

要点BOX

- ●ロボットの定義はどんどん変わっていく
- ●新技術で新機能を実現するのがロボット
- ●自由な発想がロボット産業を発展させる

ロボット関連技術の付加価値分布

材料・ 要素技術	機械部品・ 電気電子部品	ロボット	ロボット システム	生産システム
複合材、樹脂、インテリジェントマテリアル、摩耗・摩擦、伝熱、制御、通信、給・蓄電、センサデバイス…	モータ、エンコーダ、減速機、軸受、ケーブル、コネクタ、CPU、表示器、センサ、ウェアラブル機器…	垂直関節型、水平関節型、直行型、パラレルリンク型、双腕、付加軸、用途特化型…	システムインテグレーション（用途・目的に応じて組み合わせられるエンドエフェクタ・センサ等オプション群必要）	生産技術集大成（加工機・ロボットシステム・情報処理機器などをシステム化して完成させる技術）

基礎基盤 ←→ 組み合わせ ←→ 摺り合わせ

ロボットSIerの役割

ロボット・関連機器のベンダー

各種ロボット・オプションの提供
システム構築用機能の提供

↓

システムインテグレータ（SIer）

エンドユーザの要望を実現するシステムの提供

↓ **ベストフィットソリューション**
エンドユーザーの目的に合ったシステム

エンドユーザー

競争力のある生産システムの企画と獲得

ロボットに命を吹き込む仕事

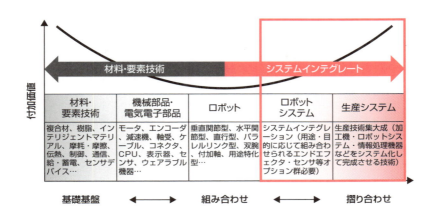

社会に貢献できる技術に贈られる「ロボット大賞」

経済産業省と日本機械工業連合会が幹事を務め、総務省、文部科学省、厚生労働省、農林水産省、国土交通省と共催するロボット大賞は、2年間の募集期間中に実用化され、なおかつ将来の市場創出への貢献度や期待度が高いと判断されたロボットやロボット技術（RT）に対して贈られる賞です。この分野における表彰制度では、日本でもっとも権威あるものといわれています。このため企業や学校、研究機関などから、毎回多くの応募があります。募集されるのは次ページの表に示す部門・分野についてです。

2020年の第9回ではロボット大賞（経済産業大臣賞）をファナックの「協働ロボットCRX」が受賞しました。「安全、使いやすい、壊れない」をテーマに、内蔵センサによる接触停止機能、アームを直接操作するダイレクトティーチ、タブレット操作でアイコンをドラッグ&ドロップする直感的なプログラミングを実現したものです。これまでの産業用ロボットに比べ、使いやすさと安全性を大幅に向上させた点が評価されました。これにより、ロボットに不慣れな企業でも導入が進むことを期待されています。

本書でも紹介していますが、家族型ロボットLOVOT（らぼっと）が総務大臣賞、移乗サポートロボットHUG T1が厚生労働大臣賞、次世代建設生産システムA^4CSEL（クワッドアクセル）が優秀賞（社会インフラ・災害対応・消防分野）を受賞するなど、対象領域の広さを感じさせてくれます。ロボットに関する多様な技術研究・開発がなされている日本だからこそ、このような賞の価値は高いといえます。ロボット大賞は、開催を重ねるたびに世界中から大きな注目を集め、日本が誇るロボット製品・技術の発信の場として認知されているのです。

ロボット大賞の分野と部門

分野

1.ものづくり分野

機械、部品、素材など製品となる物品を製造するのに係る分野

2.サービス分野

公共施設・工場・事務所・店舗・家庭などで警備、掃除、配膳などのサービスを提供するのに係る分野

3.ICT利活用分野

ロボット利活用が関わる地域課題解決やICT利活用に係る分野

4.介護・医療・健康分野

介護、医療、障害福祉、健康などにおけるロボットの利活用推進に係る分野

5.社会インフラ・災害対応・消防分野

社会インフラの建設・メンテナンス、災害現場の調査・応急復旧、消防などに係る分野

6.農林水産業・食品産業分野

農林水産業、食品産業分野における生産性向上、省力化などに係る分野

部門

(A)ビジネス・社会実装部門

ロボットに関連するビジネスモデル、または各分野における社会実装に向けた取り組み

(B)ロボット応用システム部門

実用に供しているロボット技術を応用したシステム、またはシステムインテグレーション

(C)ロボット部門

実用に供しているロボット本体

(D)要素技術部門

ロボットの一部を構成する部品、材料、その他のロボットの要素技術

(E)高度ICT基盤技術部門

ロボット利活用を支える情報通信および情報処理などの高度ICT基盤技術(IoT、AI、5Gなどを含む)

(F)研究開発部門

ロボットに関連する特に将来性のある研究開発の成果

(G)人材育成部門

ロボット分野における人材を育成するための取り組みまたは教材など

創立50周年記念事業

日本ロボット工業会は、2022年10月に創立50周年を迎えます。同会ではこれを記念し、2022年から2023年にかけて「ロボティクスがもたらす持続可能な社会」をテーマに、以下のとおりさまざまな記念事業を進める予定です。

- **50周年記念ロゴ** 2022年1月
- **主催展示会における記念パネル展** 2022年3月、6月
- **記念式典／祝賀会／表彰事業** 2022年10月
- **記念シンポジウム** 2022年10月
- **ロボット産業ビジョン** 2022年10月
- **50周年史** 2023年3月

【参考文献】

「ロボット工学の基礎 第2版」 川崎晴久 森北出版
「絵とき ロボット工学の基礎のきそ」 門田和雄 日刊工業新聞社
「すっきりなっとく 電気と制御の理論」 望月 博 技術評論社
「誰でも作れる センサロボット」 熊谷文宏 オーム社
「トコトンやさしいセンサの本 第2版」 山崎弘郎 日刊工業新聞社
「トコトンやさしい制御の本」 門田和雄 日刊工業新聞社
「トコトンやさしい機械の本」 朝比奈奎一、三田純義 日刊工業新聞社
「トコトンやさしいメカトロニクスの本」 三田純義 日刊工業新聞社
「トコトンやさしい工作機械の本 第2版」 清水伸二ほか 日刊工業新聞社
「日本ドローン年鑑 2021」 野波健蔵監修 日刊工業新聞社
「ロボット新戦略」 内閣府・ロボット革命実現会議ウェブサイト
「未来投資戦略2018」 内閣官房 日本経済再生総合事務局ウェブサイト
「ものづくり白書」 経済産業省ウェブサイト
「ロボットによる社会変革推進会議 報告書」 経済産業省ウェブサイト
「RT（ロボットテクノロジー）による産業波及効果と市場分析に関する調査」 日本ロボット工業会ウェブサイト
「ロボット活用ナビ 世界一のロボット利活用社会を目指す」 日本ロボット工業会ウェブサイト
「『ロボットに命を吹き込む』 それが私たちの仕事です。」 FA・ロボットシステムインテグレータ協会
「あのスーパーロボットはどう動く―スパロボで学ぶロボット制御工学」 金岡克弥 日刊工業新聞社
「アンドロイドは電気羊の夢を見るか？」 フィリップ・K・ディック 早川書房
「人と芸術とアンドロイド」 石黒 浩 日本評論社
「人工知能は人間を超えるか ディープラーニングの先にあるもの」 松尾 豊 KADOKAWA

電圧センサ　40
電源　62
点検・保守ロボット　100
塗装ロボット　76
トリ型　58
取出ロボット　84
トレードオフ　64
ドローン　100, 138

ナ

内界センサ　36
二足歩行　58
ネットワークロボット　46
農業ロボット　94

ハ

パーソナルロボット　134
パーツ　22
パートナーロボット　130
ハーモニックドライブ®　56
パラレルリンクロボット　14
パレタイジングロボット　82
パワードウェア　122
搬送・移送用ロボット　82
搬送用ロボット　116
非産業用ロボット　12
ひずみゲージ　38
ヒト型ロボット　130, 136
ヒューマノイドロボット　136
平歯車減速機　56
ブレイン・マシン・インターフェース　148
ペットロボット　134
変位センサ　38
包摂アーキテクチャ　128
ボールねじ　56

マ

マイクロアクチュエータ　54
マイクロロボット　148
マイコン　42
マテハンロボット　82
マニピュレータ　88
無人化施工　96
無人航空機　138
モータ　22

ヤ

油圧　52
遊星歯車減速機　56
溶接ロボット　74
四大メーカー　20

ラ

リアルタイムシステム　42
力覚センサ　38, 78
レスキューロボット　102
労働構造　144
ロータリエンコーダ　36
ロバスト性　146
ロボット　10
ロボット革命　26
ロボット材料　60
ロボットシステムインテグレーション　24, 26
ロボット掃除機　128
ロボットテクノロジー　92
ロボットの3要素　30
ロボットの市場　18
ロボットの定義　10, 150
ロボットの未来　142

ワ

ワイヤレス給電　62

索引

英数

AC駆動 ―― 50
AUV ―― 110
BMI ―― 148
DC駆動 ―― 50
FA ―― 24
ROV ―― 110
RT ―― 92
UAV ―― 138
WRC ―― 102

ア

アクチュエータ ―― 48, 52, 54, 56
移動支援ロボット ―― 118
医療用ロボット ―― 114, 116
インフラ用ロボット ―― 100
ウォーム減速機 ―― 56
宇宙ロボット ―― 108
エアモビリティ ―― 138
遠隔操作無人探査機 ―― 110
エンコーダ ―― 36
温度センサ ―― 40

カ

外界センサ ―― 32
介護・生活支援ロボット ―― 118, 120, 122, 124
海洋ロボット ―― 110
画像処理 ―― 78
加速度センサ ―― 40
感情表現ロボット ―― 132
空圧 ―― 52
駆動・構造系 ―― 30
組み込みOS ―― 42
組立ロボット ―― 80
クリーンルーム用ロボット ―― 86
クローラ ―― 58
警備ロボット ―― 106
建設ロボット ―― 96
減速機 ―― 22
コミュニケーションロボット ―― 130, 132

サ

サービスロボット ―― 12, 60
サーボモータ ―― 48, 50
災害対応ロボット ―― 102, 104
産業用ロボット ―― 12, 14, 16, 70
産業用ロボットの用途 ―― 72
産業用ロボットの利用 ―― 70
仕上げロボット ―― 78
シーリング ―― 86
磁性流体 ―― 54
自動走行実験 ―― 94
ジャイロセンサ ―― 40
社会のロボット化 ―― 142
手術支援ロボット ―― 114
食品産業用ロボット ―― 88
植物工場 ―― 94
自律型無人探査機 ―― 110
人工筋肉 ―― 54
ステッピングモータ ―― 48. 50
成形品取出ロボット ―― 84
清掃ロボット ―― 98
センサ系 ―― 30, 148
全体最適 ―― 64
装着型ロボット ―― 122
ソフトウェア ―― 44
ソレノイド ―― 48

タ

多関節ロボット ―― 14
多足歩行 ―― 58
知能・制御系 ―― 30
超音波モータ ―― 54
直角座標ロボット ―― 14

今日からモノ知りシリーズ
トコトンやさしい
ロボットの本　第2版

NDC 530

2015年11月30日　初版1刷発行
2020年 2月25日　初版5刷発行
2022年 3月15日　第2版1刷発行
2024年12月13日　第2版3刷発行

監　修　日本ロボット工業会
©編者　日刊工業新聞社
発行者　井水 治博
発行所　日刊工業新聞社
東京都中央区日本橋小網町14-1
(郵便番号103-8548)
電話　書籍編集部　03(5644)7490
販売・管理部　03(5644)7403
FAX　03(5644)7400
振替口座　00190-2-186076
URL　https://pub.nikkan.co.jp/
e-mail　info_shuppan@nikkan.tech
印刷・製本　新日本印刷

●DESIGN STAFF
AD――――――志岐滋行
表紙イラスト――――黒崎　玄
本文イラスト――――輪島正裕
ブック・デザイン――矢野貴文
(志岐デザイン事務所)

●
落丁・乱丁本はお取り替えいたします。
2022 Printed in Japan
ISBN 978-4-526-08200-9 C3034

●定価はカバーに表示してあります。

●監修者紹介
日本ロボット工業会
(Japan Robot Association :JARA)

1971(昭和46)年3月に任意団体「産業用ロボット懇談会」として設立。1972年に任意団体「日本産業用ロボット工業会」に。1973年には社団法人化。1994年に現在の「日本ロボット工業会」へと改組。ロボットおよびそのシステム製品に関する研究開発の推進、利用技術の普及促進などを行うことにより、ロボット製造業の振興を図るとともに、産業の高度化と社会福祉の向上を目指している。

●執筆協力
石川憲二